IN VOLLE BLOEI

Van deze auteur verscheen eerder:

Een nieuwe lente
Bevrijd
Zon of geen zon

Leni van der Ster-Bouwmeester

In volle bloei

VCL serie

Voor Caroline

ISBN 978 90 5977 274 8

NUR 344

© 2008, VCL-serie, Kampen
Omslagillustratie: Bas Mazur
Omslagontwerp: Van Soelen Communicatie
www.vclserie.nl
ISSN 0923-134X

1

Astrid kijkt op de klok, al weer bijna vijf uur, waar blijft Mandy toch? Ze is altijd zo stipt op tijd. Eindelijk hoort ze haar dochter met veel lawaai en hijgend binnenkomen.

'Hoi, mam, sorry dat ik zo laat ben, maar ik moest wachten op een ouder die het kindje door omstandigheden nog niet gehaald had. Zat ik daar met dat meisje dat steeds maar zeurde: "Wil naar huis, wil naar huis." En daarna moest ik nog afsluiten.'

'Ik dacht ook al: Waar blijft ze nou? Als je nog koffie wilt, moet je het zelf inschenken, ik moet nodig weg, oma zit al te wachten.'

'Waar zijn mijn nichtjes eigenlijk?'

'Mirthe en Sifra spelen boven, ze zijn de hele middag al zoet met jouw oude poppenhuis.'

'Ga jij maar naar oma, ik kijk zo wel even boven of alles goed gaat.'

'Wil je dan de aardappelen en de boontjes op zetten om half zes? Ik hoop dat ik om zes uur weer thuis ben.'

In de gang schiet Astrid in haar jack, pakt de fiets die nog voor de deur staat en stapt haastig op. Binnen gaat de telefoon, Mandy neemt hem op. Het is oma: waar haar moeder toch blijft, er is toch niets gebeurd?

Mandy stelt haar gerust, zegt dat mam zo komt.

Ze gaat naar boven waar haar twee nichtjes inderdaad met het poppenhuis spelen. 'Hoi, meiden,' zegt ze.

Mirthe en Sifra vliegen naar Mandy toe, ze knuffelen haar om het hardst en roepen: 'Ga je met ons spelen? Of voorlezen?'

'Hoe vinden jullie het om met mijn poppenhuis te spelen?'

'Heb je daar echt zelf mee gespeeld, tante Mandy?' vraagt Sifra.

'Ja hoor, ik was twaalf toen ik er stiekem nog mee speelde.'

Dat vinden ze toch maar raar. Mirthe, die net zes jaar is,

vraagt of Mandy voor wil lezen. Ze kan niet wachten om naar groep drie te gaan, dan kan ze echt leren lezen. Ze kent al een heleboel woordjes, maar boeken lezen zoals Mandy die voorleest, vindt ze heel aanlokkelijk. Ze wil de boeken zelf kunnen lezen.

'Pak maar een boek, ik kan niet te lang lezen, want oma is naar oude oma en ik moet voor het eten zorgen, want als opa en jullie mamma thuiskomen, moet er gegeten worden.'

Astrid is intussen bij de aanleunwoning van haar moeder aangekomen. Ze heeft een sleutel en nadat ze haar jack op de kapstok gegooid heeft, komt ze monter binnen: 'Zo, hoe is het hier vandaag?'

Ze ziet het meteen: niet goed, haar moeder zit als een hoopje ellende te huilen bij de tafel.

'Wat is dat nou, tranen? Wat is er?'

'Het is al avond en jij kwam niet,' brengt haar moeder er hakkelend uit.

'Mam, het is nog geen half zes, ik kom je eten klaarmaken, dat doe ik toch altijd?'

Maar haar moeder is niet te troosten. 'Maar ik dacht ... dat jij, ik dacht ... nee, nou weet ik het opeens niet meer.'

'Rustig maar, ik ga je boterhammetje klaarmaken, wil je warme of koude melk erbij?' vraagt ze, maar ze weet meteen dat ze fout zit: nooit twee dingen tegelijk vragen, dat begrijpt haar moeder niet meer.

'Zal ik maar warme melk inschenken, dat is lekker met dit koude weer.'

Haar moeder knikt, maar even later vraagt ze: 'Ik krijg toch wel warme melk, Astrid?'

'Ja, mam, ik ben al bezig.'

Ze komt binnen met twee boterhammetjes, in blokjes gesneden, warme melk en een ei.

'Moet ik dat opeten?' vraagt haar moeder.

'Ja, lekker toch, maar eerst bidden en daarna je medicijnen.'
'O, ja, dat vergat ik nog.'
'Zal ik je eitje maar even pellen?' vraagt Astrid.
'Pellen, pellen, waar heb je het nu weer over?'
Astrid zegt maar niets meer, maar als ze even later het ei gepeld heeft, eet haar moeder dat met smaak op.
'Ik moet weer gaan, mam. Ze wachten thuis met het eten.'
'Nee, hier blijven,' commandeert deze onverwacht fel.
Astrid loopt naar de gang om haar jas aan te trekken. Dan begint oma Stien weer te huilen. 'Niet weggaan,' snikt ze.
Astrid knuffelt haar moeder en wrijft zacht over haar rug, om haar te kalmeren. 'Vanavond komt Anneke, toe, niet zo huilen, daar word ik ook verdrietig van.'
Ze maakt zich los en achterwaarts loopt ze de kamer uit. 'Dag mam.'
Zacht trekt ze de deur achter zich dicht en stapt op haar fiets. Ze schudt haar hoofd, zielig om haar moeder zo achter te laten. Wat moet dat worden op den duur? Zal ze nog lang zelfstandig kunnen wonen in haar aanleunwoning? En wat als dat echt niet meer gaat?

Thuis is het een dolle boel, de meisjes mogen Mandy helpen met koken. Sifra van vier staat op een krukje met water te knoeien en Mirthe is met een ernstig gezicht bezig om vla in de schaaltjes te gieten. Op dat moment komen vader Bert door de achterdeur en Katja door de voordeur naar binnen.
'Het ruikt hier heerlijk, dag schatten van me,' zegt vader Bert.
'Wie bedoel je?' vraagt Mandy.
'Jullie alledrie en daar komt nog een schat binnen,' lacht hij terwijl hij op Katja wijst. 'Arme ik, met al die vrouwen,' zucht hij.
Katja gaat de tafel dekken. Als Mirthe en Sifra haar aandacht vragen, wijst ze hen kribbig terug: 'Jullie zien toch dat ik nu

geen tijd heb?' Ze druipen teleurgesteld af.

Even later, als ze allemaal aan tafel zitten, spreekt vader Bert het dankgebed uit. Onder het eten vertelt Mirthe dat tante Mandy zo leuk voorleest, ze doet alle beesten na, en ze gilt heel hard als Tomas uit het boek bijna onder een auto komt.

Maar Sifra kijkt naar haar moeder, naar Katja. Ze begint opeens heel zielig te huilen.

Mandy vraagt of ze geschrokken was van het verhaal, maar ze schudt haar hoofd, zodat haar haren door het eten op haar bord slieren.

Ongeduldig zegt Katja: 'Zit niet te huilen, wat is er nou weer?'

Al snikkend zegt het kind: 'Pappa moet me straks naar bed brengen.'

Mirthe snatert: 'Stommerd, je weet toch wel dat pap niet meer bij ons woont, hij kán ons niet meer naar bed brengen.'

'Kan ik dan niet voor één keertje bij pappa gaan slapen?' vraagt Sifra nog steeds huilend.

De groten zitten er verbijsterd bij; wat een verdriet in een kinderhartje om een scheiding.

Mirthe heeft haar woordje alweer klaar: 'Sufferd, je weet toch dat we zaterdag naar pappa gaan?'

Bert zegt tegen Sifra: 'Kom eens even bij opa, zullen wij samen een geheimpje delen?'

Toch wel nieuwsgierig laat ze zich van haar stoel glijden en kruipt bij opa op schoot. Hij fluistert haar wat in, waardoor de tranen verdwijnen en een waterig lachje doorbreekt.

'Ja mam, mag dat? Opa gaat mee naar ons huis om mij naar bed te brengen.'

Katja vindt het voor vandaag een goede oplossing, dan gaat het kind tenminste gewillig naar bed.

'Gaan jullie maar,' zegt Astrid, als ze klaar zijn met eten, 'Mandy helpt me wel met afwassen.' Als ze met z'n vieren net de deur uit zijn, gaat de telefoon.

'Nee hè,' zegt Mandy als ze op de nummermelder haar oma's nummer ziet. 'Hier mam, pak jij hem maar.'

Astrid hoort haar moeders boze stem: 'Ik heb jou al in geen dagen gezien en Anneke zie ik ook niet meer. Een oud mens in de steek laten, dat kunnen jullie.'

Astrid moet er even bij gaan zitten. 'Moeder, ik ben vanmiddag nog geweest, ik heb je boterhammen klaargemaakt en een lekker eitje gekookt, je vond dat zo heerlijk, zei je.'

'O ja, ja, kind, nou weet ik het weer, ik was het helemaal vergeten.'

'Weet je nu ook weer dat Anneke straks komt, om een kopje koffie te zetten en je daarna naar bed te brengen?'

'Dat wist ik niet. Anneke, wie is dat?'

'Mam, Anneke is je andere dochter. Weet je wel?'

'Ja, dat weet ik ook wel, dat Anneke mijn dochter is. Jij ook, Astrid, toch?'

Astrid zucht ervan, wat moet dat toch worden, vraagt ze zich voor de zoveelste maal af. Het gaat met de dag achteruit, de laatste weken. Ze zou eigenlijk naar een verpleeghuis moeten, maar als Anneke en zij erover beginnen, wordt moeder furieus. 'Jullie willen me weg hebben, hè? Jullie willen me kwijt, ik laat me niet wegstoppen bij die kwijlende ouwe mensen.'

Een paar maanden terug ging ze nog drie dagen in de week naar de dagopvang, maar daar wil ze voor geen prijs meer heen.

Mandy is intussen klaar in de keuken. Wat heerlijk toch, denkt Astrid, dat zij nog thuis woont en niet alleen voor het werk dat ze haar uit handen neemt, maar het is gewoon gezellig. Ze is het zonnetje in huis.

'Ik heb meteen maar een mok koffie voor ons gezet, moet pa nog weg vanavond?'

Astrid schudt haar hoofd: 'Hij komt er net weer aan, vraag het hem zelf maar.'

'Hoe was het bij Katja? Ik vind het zo zielig voor die kinderen, vooral Sifra is zo gek op haar vader. Wil je ook koffie?' laat ze erop volgen.

'Graag, even een kopje, ik heb een vergadering vanavond. Wat is dat toch ellendig voor kinderen, zo'n scheiding. Sifra was zo verdrietig, toen begon Mirthe ook en Katja zat met een verbeten gezicht toe te kijken. Ik heb ze zich uit laten kleden, ze geholpen met tanden poetsen en Katja zat nog altijd beneden. Met allebei de kindjes in pyjama op mijn knieën moest ik een verhaaltje voorlezen. Mirthe had het gevraagd: een verhaal uit de Bijbel, over David die op zijn harp speelde voor koning Saul. Toen het uit was, kropen ze in bed. Ik zei dat ze eerst nog bidden moesten.

Mirthe zei dat ze dat van mamma niet meer hoefden. Ik heb dus met hen gebeden. Toen ik beneden kwam, zat Katja nog in dezelfde houding in haar stoel, een sigaret in haar mond en een volle asbak op tafel.

Ik was boos op haar, maar ik had ook medelijden. Ik heb niets meer gezegd. Je weet hoe ze is: ze wordt boos of ze gaat huilen. Ik zal op een rustig moment proberen om met haar te praten, want zo kan het niet langer.'

Bert zet zijn mok op tafel, geeft Astrid een zoen en Mandy een aai over haar bol. En weg is hij. Astrid zakt neer op de bank, ze gooit haar schoenen uit en trekt haar benen onder zich. Mandy gaat sporten.

Astrid is alleen en dat is voor vanavond heerlijk. Ze móét al zo veel. Haar moeder, waar ze steeds meer tijd voor nodig heeft. Mirthe en Sifra, waar ze drie dagen in de week op passen moet. Katja brengt ze 's morgens naar school voordat ze naar haar werk gaat. Om twaalf uur gaat Astrid ze ophalen, ze eten een boterhammetje bij haar, daarna moet ze hen weer naar school brengen en in de tussentijd gaat ze naar haar moeder. Dat is ook geen pretje, tegenwoordig krijgt ze alleen maar allerlei verwijten naar haar hoofd geslingerd. Bovendien eten Katja en de kinderen vaak mee.

En daarbij die toestand bij Katja. Ze woont na haar scheiding van Hugo met Mirthe en Sifra in een driekamerappartement. Maar ze is zo boos en verbitterd; daardoor kan ze voor haar kinderen geen lieve moeder zijn. Om de twee weken zijn de kinderen bij hun vader, die lief is voor ze, hij verzint allerlei uitstapjes en spelletjes. Maar als ze weer bij Katja zijn, en vertellen willen wat ze gedaan hebben bij pappa, zegt deze stug: 'Ga eerst je kleren ophangen en je rommel opruimen.'

Zij, Astrid, en ook Bert en Mandy, hebben medelijden met de kleintjes.

Zo kan het niet doorgaan. Ze is vastbesloten om er met haar een gesprek over te hebben.

Op vrijdagavond gaat Astrid altijd naar het verzorgingshuis om koffie te schenken. Ze haalt dan haar moeder op, die geniet nog wel van de drukte in de koffiezaal.

Als deze avond iedereen voorzien is van koffie en cake, want er is een jarige die ze toegezongen hebben, komt de directrice naast Astrid zitten. 'Het gaat niet zo goed met je moeder, vind ik,' zegt ze.

'Dat heb ik ook gemerkt. Maar wat is het alternatief? Zou ze hier in het huis nog een kamer kunnen krijgen? Want een verpleeghuis is vreselijk. Ik hoop dat het voorlopig nog niet nodig is.'

'Ik weet niet of wij genoeg geschoold personeel hebben om dit aan te kunnen. Je kunt ook niet weten hoe hard ze achteruit gaat. Maar als er een kamer vrij komt, zouden we het kunnen proberen. Dan zou er weer een aanleunwoning vrij komen,' zegt ze er nuchter achteraan. 'Ik ben echter toch bang dat het uiteindelijk een verpleeghuis zal worden. Maar wil ze wel?'

'Deze avonden vindt ze wel fijn, ze gaat graag mee; ze kent veel mensen, in haar huisje vereenzaamt ze.'

'Mevrouw Jansen, kunt u even komen? Er is iemand die u spreken wil.' De directrice wordt weggeroepen.

'Er wonen hier eigenlijk al teveel mensen die dementeren en naar een verpleeghuis zouden moeten, maar we willen hen zo lang mogelijk hier houden. Ik ben heel blij dat we zoveel vrijwilligers hebben; we zouden het zonder hen niet redden,' zei de directrice nog voordat ze naar de mevrouw ging die haar spreken wilde.

Astrid gaat nog een poos aan de tafel zitten bij haar moeder, en dan blijkt er nog weer een redelijk gesprek mogelijk. Misschien is het juist heel goed als ze hier in huis zou kunnen komen, bedenkt Astrid. Als we te lang wachten, wordt het wél een verpleeghuis.

Wat later helpt Astrid de koffiekopjes naar de keuken te brengen en daarna brengt ze haar moeder naar haar huis en naar bed. Wonder boven wonder is er niets om over te mopperen vanavond; ze stopt haar als een klein kind lekker in en geeft haar een kus. Astrid trekt met een tevreden gevoel de deur achter zich dicht.

Als ze thuiskomt, zit Mandy met een boek op de bank. 'Hoi mam, hoe was het bij oma, heb je het druk gehad met koffie schenken en ellenlange verhalen aanhoren?'

'Valt wel mee.' En daarna vertelt ze van haar gesprek met de directrice.

'Wat zal oma daarvan vinden?'

'Vanavond wilde ze graag mee om koffie te drinken. Ze ontmoette een paar oude kennissen, daar heeft ze mee zitten praten. Ik vond haar aardig goed en zij had het erg naar haar zin, dus ...'

'Katja belde vanavond, of jij morgen de kinderen bij haar op wilt halen en naar school brengen, ze was koortsig en voelde zich helemaal niet lekker. Ze wil zich morgen ziek melden. Ik kan dat klusje wel doen, ik kom dan iets later op mijn werk, maar dat haal ik 's middags wel in.'

'Als dat zou kunnen, graag. Je weet dat ik 's morgens altijd even op gang moet komen.'

'Mam, ik vind het zo erg voor Mirthe en Sifra, die houding van Katja. Zo hebben de kinderen geen vader én geen moeder meer. Ik weet wel dat Hugo heel lief voor hen is, maar toch, ik snap nog steeds niet waarom ze uit elkaar gingen. Zou het 't meest aan Katja gelegen hebben?'

'Ik weet het niet, ze wil er niet over praten; ze heeft nooit verteld waarom ze gingen scheiden, maar ik geloof dat Hugo het nog steeds erg vindt. Ik mag hem ook nog graag en dat kan Katja niet uitstaan. Ik weet het niet, Mandy, maar ik vind dit ook een akelige toestand. De kinderen komen echt tekort bij haar. Ik vind het fijn dat ze vaak hier zijn. Ze zijn ook gek op pa.' Ik moest dit eigenlijk niet met haar zusje bespreken, denkt Astrid.

'Ja, en pap op hen. Het zijn ook schatten, ze kunnen fantastisch goed samen spelen, ze zijn niet lastig en maken eigenlijk nooit ruzie. Ik vind het ook gezellig als ze hier zijn. Mam, zullen we nog een beker warme chocolademelk nemen? Dan ga ik daarna gauw naar bed; ik moet misschien de kinderen nog wel aankleden en met hen ontbijten. Katja is zo onberekenbaar. Ik ga er in ieder geval vroeg naar toe.'

Als Mandy de volgende morgen om kwart over acht bij Katja aanbelt, doet Mirthe open.

'Mamma ligt nog in bed en wij hebben nog niet gegeten en

Sifra kan zelf haar broek en shirt niet goed aantrekken, die zitten buitenstebinnen of zoiets.'
'Dan mogen we wel opschieten, kom gauw, wat eten jullie 's morgens?'
'Yoghurt met crispies of zo.'
Snel zoekt ze spullen bij elkaar en geeft de kinderen hun bordje met eten, ondertussen helpt ze Sifra met haar kleren.
'Als jullie nu vlug dooreten, ga ik even bij mam kijken.'
Mandy holt de trap op. 'Hoe is het, Katja?'
'Ik voel me zo ziek, ik denk dat ik griep heb. Zere keel en spierpijn.'
'Ik kan verder niets doen, als ik de kinderen naar school gebracht heb, moet ik naar mijn werk, het is toch al op het nippertje. Als je erg beroerd bent moet je de dokter bellen, en mam wil misschien wel even komen.'
'Ik lig hier het liefst alleen, ik heb geen dokter nodig en mam ook niet.'
'Dan moet je het zelf maar weten, het beste.' Mandy voelt zich boos worden, dus gaat ze gauw naar beneden.
Als ze onderweg naar school is met de meisjes, zegt Mirthe: 'Vanavond gaan we lekker naar pappa, dan mogen we twee nachtjes bij hém slapen. Pap is veel liever dan mam. Die is altijd boos.'
'En ze heeft ook nooit zin om verhaaltjes voor te lezen,' vult Sifra aan.
'Straks komt oma jullie halen,' zegt Mandy om hen te troosten, ze heeft zielsmedelijden met de kinderen.
Als ze hen op school afgeleverd heeft, gaat ze gauw door, om precies op tijd op haar werk aan te komen.
Daar belt ze vlug naar haar moeder dat Katja ziek is, én dwars. Mam moet maar zien wat ze doet.
Astrid schudt haar hoofd. Dwars, ze kan het zich goed voorstellen, dat is ze doorlopend de laatste tijd. Ze wil niets en

gaat overal tegenin. Zou het helpen als zij eens ernstig met haar ging praten? Nee, het is beter dat Bert dat doet, zij, Astrid, heeft nooit met haar de band gehad die ze met Mandy heeft; Katja is meer een vaderskind. Als zij met Katja wat bespreken wil, botst het meteen. Ze lijken qua karakter veel op elkaar, ze moet zichzelf bekennen dat Katja dat dwarse van niemand vreemd heeft. Haar vader zei vroeger altijd: Je bent weer tegen de wennende keer. Het is misschien een ouderwetse uitdrukking, maar het geeft precies weer hoe ze allebei zijn. Wispelturig is Katja ook. Ze besluit eerst maar eens naar haar te bellen.

Misschien neemt ze niet eens de telefoon op.

Even later zijn moeder en dochter toch in gesprek. Astrid wil weten wat Katja mankeert en of ze de dokter al gebeld heeft. Deze zegt hetzelfde tegen haar moeder als ze tegen Mandy gezegd heeft, namelijk dat ze geen dokter wil en geen behoefte aan haar moeder heeft. Ze heeft alleen maar rust nodig.

Daarna verbreekt ze de verbinding.

Astrid is boos en verdrietig.

In de loop van de ochtend haalt ze mevrouw De Wit op om met de rolstoel met haar boodschappen te gaan doen.

Om twaalf uur staat ze bij school. De kinderen komen Astrid al tegemoet hollen.

'Oma, oma, oomastridje,' roepen ze om het hardst. Lachend vangt ze hen op, ze knuffelt ze een voor een en daarna gaan ze gauw naar huis om een boterham te eten.

Tussen de middag belt Hugo dat hij de kinderen om zes uur komt halen, ze kunnen meteen met hem mee. Dat is echt iets voor een man, denkt Astrid, hij denkt er niet aan dat ze geen schone kleren en nachtgoed en, zeker niet te vergeten, hun knuffels bij zich hebben. Ze zegt dat Katja ziek is en dat zij vanmiddag wel kleren en spulletjes gaat halen. Ze zullen tot zondagavond bij Hugo zijn.

Zaterdagmiddag gaat Bert naar Katja. Astrid en hij hebben over haar vreemde gedrag gesproken, dus stapt hij op deze middag naar zijn dochter. Hij heeft de sleutel van haar huis, maar hij belt altijd eerst aan en laat pas daarna zichzelf binnen. In de huiskamer is het rommelig en stoffig, overal zwerven kranten en tijdschriften. Het kleedje van de tafel hangt half op de grond, een vaasje bloemen dat er kennelijk op gestaan heeft, is omgevallen, de bloemen drijven in een plasje water, de rest ligt op de grond. Speelgoed ligt overal, maar Katja is nergens te zien.

Zachtjes loopt hij de trap op. Haar slaapkamerdeur is dicht. Hij klopt en zegt: 'Katja, ik ben het, mag ik binnenkomen?' Een onverstaanbaar gemompel klinkt, waaruit Bert dan maar opmaakt dat het 'ja' is.

'Hoe is het met je?'

Ze hijst zich half omhoog en zegt: 'Nou, best, dat zie je toch,' en ze barst in een hysterische huilbui uit.

Bert laat haar huilen en wacht tot ze wat bedaard is. Dan vraagt hij: 'Ben je echt ziek, of heb je zelfmedelijden?'

Het gesnik is meteen over. Verontwaardigd kijkt ze haar vader aan: 'Zélfmedelijden? Ik voel me ziék. Wat heb ik nog aan mijn leven? Ik kan geen twee kinderen opvoeden in mijn eentje.' Ze vliegt overeind. 'Ik heb er geen zin meer in, alles is even ellendig. Ik wil dit leven niet meer.'

'Dat hebben we allemaal al begrepen. Jij vindt dat jou het grootste onrecht van de wereld aan gedaan is, maar je ziet steeds maar niet in dat het voor een heel groot gedeelte je eigen schuld is. Jij hebt net zolang getreiterd, gemopperd op Hugo, hem alles verweten, tot het te laat was. Maar jij dacht dat hij toch niet weg zou gaan, al had hij dat al enkele malen gezegd. Jij dacht dat hij zo'n goedzak was dat hij toch niet zou gaan scheiden. Ook niet wilde of kon scheiden vanwege zijn kerkelijke achtergrond. Nu het te laat is, besef je wat je weggegooid hebt. Wij hebben respect voor Hugo omdat hij jou zolang verdragen heeft. Hij heeft steeds geprobeerd om jou op andere gedachten te brengen, maar nee, mevrouw ging dóór. Het ergste is dat je kindertjes het nu ontgelden moeten. Ik zou je liever willen troosten dan je verwijten maken, maar dit moest echt een keer.'

'Ga weg, pap, ik wil je niet meer zien.'

'Ik ben al weg, maar ik hoop wel dat je ernstig na zult denken over wat ik gezegd heb.'

Bert doet zacht de slaapkamerdeur achter zich dicht. Meisje, meisje, wat doe je jezelf aan, denkt hij terwijl hij de trap af loopt en de buitendeur opent.

Meike, Katja's vriendin, staat voor de deur. 'Dag meneer Verhoef, is Katja ziek?'

'Dat zou je wel kunnen zeggen.'

'Is het ernstig, mag ik even bij haar?'

'Ga maar naar boven, misschien is het wel goed dat jij komt, ik ben weggestuurd. Tot ziens,' zegt hij en loopt meteen door, zodat Meike geen tijd meer heeft om wat te vragen.

Astrid wacht Bert vol spanning op. 'En?' vraagt ze.

Bert maakt zijn stropdas los en gooit die op een stoel. Niet zo best, denkt ze.

'Is ze erg ziek? Wat heeft ze, griep?'

'Ach, ze is snipverkouden en daardoor ziet ze de dingen donker in. Dat begrijp ik. Maar zoals ze zich gedraagt, ach, die arme kinderen. Ze kan op dit ogenblik alleen maar aan zichzelf denken. Zíj is zielig, hoe moet ze verder zonder man?'

'Zelfmedelijden, dus,' constateert Astrid, 'ik was er al bang voor. Heb je nog met haar kunnen praten?'

'Nou nee, eigenlijk niet. Ik heb haar flink de les gelezen, haar laten zien dat zij het meest schuldig is aan het feit dat Hugo weggegaan is. Dat wou ze niet horen en toen stuurde ze me

weg. Meike kwam net toen ik naar huis ging.'
'Ze had natuurlijk helemaal niet verwacht dat jij boos zou worden, ze kan bij jou wel een potje breken. Ik heb altijd veel minder geduld met haar en dan botsen we meteen.'
'Astrid, je weet dat ik de hele periode dat ze in scheiding lagen met zachtheid en liefde geprobeerd heb om te bemiddelen; je weet hoe Katja zei dat ze niet meer leven kon met Hugo, maar wij hebben gezien dat die jongen zo'n verdriet daarvan had. Het hielp allemaal niets, nu zijn ze gescheiden en nu dit weer. Ik was het zat en ik dacht: Zachte heelmeesters maken stinkende wonden, dus nu het mes erin. Maar ik heb er niets mee bereikt.
Ik ben blij dat de kinderen in Hugo zo'n liefdevolle vader hebben. Maar dat kan Katja dan ook weer niet uitstaan, ze is jaloers als de kinderen terugkomen en zeggen dat het bij pappa zo leuk was. Ik wou dat ze maar in kon zien dat het voor het grootste deel aan haarzelf ligt.'
'Ze is altijd een ontevreden kind geweest. Het is erg om het van je eigen dochter te moeten zeggen, maar verjaarscadeautjes waren nooit naar haar zin. Mandy mocht alles en zij niets, vond ze. En hoe jaloers was ze toen Lennard met Iemke thuiskwam. Hoe trots was ze toen ze Hugo 'veroverd' had op Anja. Ik heb vaak gedacht: Als dat maar goed gaat. Maar toen ze al snel in verwachting was en Mirthe geboren werd, kon ze ook genieten van het kind.'
Bert onderbreekt haar: 'Maar ze was toen ook al jaloers omdat Hugo aandacht besteedde aan Mirthe en met haar speelde.'
'Toen ze opnieuw zwanger was, dachten we dat het beter ging, ook met het huwelijk, maar daarna, na Sifra's geboorte, ging het meteen al mis.'
Mandy komt de kamer binnen. 'Wat zitten jullie daar somber te kijken, is er iets? Is Katja echt ziek?'
Ze vertellen haar het een en ander en Mandy vraagt zich hard-

op af: 'Wat zouden wij kunnen doen?'
'Ik vrees van niets, we kunnen voor hen alle vier bidden, dat is veel, maar verder kunnen we niets doen,' zegt vader Bert beslist. 'We kunnen zorgen dat Mirthe en Sifra hier een veilige plek hebben, ze zijn toch al vaak hier. Katja vindt het maar al te gemakkelijk als ze, na haar werk, hier mee-eten kan. Ik was juist van plan om te zeggen dat ze nu maar de regelmaat er in moest houden en thuis warm moest eten met de kinderen, maar inderdaad, laten we het voorlopig nog maar zo laten,' vindt Astrid ook.
'Ga jij vanavond nog uit?' vraagt ze aan Mandy.
'We gaan met z'n allen naar de club.'
Mandy heeft geen vaste vriend, maar ze gaat met veel vrienden en vriendinnen om. Naar de club, naar een film, of gewoon bij een van hen thuis zitten kletsen. Ze doen ook Bijbelstudie met elkaar.
'Komen Lennard en Iemke met de kinders morgen?' vraagt ze.
'Ja, ze komen na kerktijd en blijven lunchen, gezellig, hoor.'
Astrid vindt het heerlijk om haar kinderen thuis te hebben. 'Ik ga zo nog even een appeltaart bakken,' neemt ze zich voor.
Maar even later gaat de telefoon. Oma. 'Ik begrijp niet waar mijn portemonnee gebleven is. Ik ben bang dat ze hem gestolen hebben. Kun jij even komen, want dan moet het aangegeven worden.'
Astrid probeert haar gerust te stellen door te zeggen dat ze hem vast wel terugvindt. Haar moeder begint te huilen en zegt: 'Ík zit hier maar en er komt nooit meer iemand bij me.'
Astrid heeft helemaal geen zin om op zaterdagavond nog naar haar moeder te gaan. Ze denkt de laatste tijd dat alles wat ze even kwijt is, gestolen is. Maar Bert zegt: 'We gaan samen wel even kijken.'
'Goed moeder, we komen er aan,' zegt Astrid met een zucht.

De appeltaart moet nog maar even wachten, denkt ze.

Ze trekken hun jassen aan en pakken de fietsen. Het is niet zo ver en de kleine eindjes fietsen ze altijd.

Het meisje bij de receptie zegt: 'Fijn dat u er bent, uw moeder belde, wij konden het niet oplossen, ú moest komen.'

'Dat zijn we al gewend,' lacht Astrid zuurzoet.

Als ze het huis van oma binnenkomen, zegt deze, heel verbaasd: 'Komen jullie nu nog? Ik wou net naar bed gaan.'

Astrid en Bert kijken elkaar aan, Bert haalt zijn schouders op.

'Je belde toch op dat je je portemonnee kwijt was?'

'Hoe kom je dáár nou bij, kijk, ik heb hem altijd hier,' ze wijst op haar vest waar een diepe zak in zit.

'Zal ik dan maar een kopje koffie zetten?' vraagt Astrid.

'Koffie, nu? Geeft mij maar warme choc … sloka, hoe heet het?'

'Best, dan krijg je lekker warme chocolademelk.' Ondertussen zet ze voor Bert en haar koffie en dan komt ook Anneke binnen om haar moeder een uurtje gezelschap te houden en haar daarna naar bed te helpen.

'Jullie hier?' vraagt ze verbaasd.

'Moeder belde dat ze haar portemonnee kwijt was, hij was gestolen en zij was in tranen,' zegt Astrid zacht tegen haar zus.

Maar oma zegt: 'Ik versta je toch wel.'

Als de koffie op is, zegt Astrid: 'Bert, ga je mee?'

'Niet weg … niet weg …' zegt oma Stien angstig.

'Ga maar,' beduidt Anneke, ze pakt haar moeder en knuffelt haar. Als Astrid en Bert daarna weg zijn, heeft ze het niet eens meer in de gaten.

'Ze is de langste tijd hier geweest,' zegt Bert, 'ik vind dat ze de laatste tijd hard achteruit gaat.

'Ik weet het, maar ik vind zo'n verpleeghuis toch zo'n naar idee. Ik moet nog een appeltaart bakken,' laat ze er, onlogisch, op volgen.

2

De volgende ochtend gaan Astrid en Bert op de fiets naar de kerk. Mandy is al eerder vertrokken, zij gaat graag naar een evangelische gemeente, die om half tien begint. Ze vindt het heerlijk om de nieuwe opwekkingsliederen te zingen, begeleid door de zanggroep.

De kerk waar Astrid en Bert heen gaan, is een gereformeerde kerk. De dominee is een opgewekte, nog jonge man, die duidelijke, ernstige preken houdt en de hele gemeente betrekt bij het kerk-zijn. Het is ook een gemeente waar omgezien wordt naar elkaar. Astrid is vrijwilligster. Ze doet bezoekwerk en verder alle voorkomende werkjes die op haar pad komen. Bert is ouderling.

Deze zondag staat de roeping van de discipelen op het rooster. Gewone mensen, geen geleerden, eigenlijk een samengeraapt stelletje. Jezus kiest hen zelf uit. De toepassing is duidelijk: ook wij zijn allemaal verschillend, maar wel allemaal geroepen om Jezus te volgen.

Ze drinken een kopje koffie in de kerk, waarbij nog nagepraat wordt over de preek, maar waar verder ook over allerlei andere zaken gesproken wordt. Als ze thuiskomen, zijn Lennard en zijn gezin er al. De kinderen hebben allemaal een sleutel.

'Duurde de kerkdienst zo lang?' vraagt Lennard.

Iemke zegt er vlug overheen: 'Ik kom zo met de koffie.'

Lobke hangt al aan opa's broekspijp: 'Opa, gaan we weer dat leuke spelletje doen van de vorige keer?' vraagt ze en Bas vraagt of tante Mandy gauw thuiskomt. Het is een drukte van belang.

Astrid zegt: 'Met Katja gaat het niet zo goed. Ze is ziek, een griepje, maar ze kan het na haar scheiding ook niet aan met de kinderen. Ze mist Hugo meer dan ze voor mogelijk gehouden had. Het is mijn eigen dochter, maar ik moet zeggen dat het voor een groot deel haar eigen schuld is. Ik vind het zo vreselijk voor de kinderen. Ze zijn nu bij Hugo, hij is zo lief voor hen, zonder ze te verwennen. Maar daar is Katja dan weer jaloers op. Ik ben blij dat de meisjes vaak hier zijn.'

'Ik zal eens een lekker glaasje wijn in schenken,' zegt Bert en staat op om de daad bij het woord te voegen. De kinderen krijgen rode limonade in een wijnglas. Astrid haalt een zak chips en een zakje zoute stengels uit de kast.

Lobke vraagt de aandacht: 'Ik had van de week de mooiste tekening gemaakt, zei de juf. Ik kan het 't beste van de hele klas.'

Iemke vermaant haar: 'Dat is niet aardig, dat zeg je niet, dat jij de beste van de klas bent. Het is gewoon fijn dat je goed kunt tekenen.'

Verongelijkt pruilt ze en zegt: 'Ik mag toch wel tegen opa en oma vertellen dat ik zo'n mooie tekening gemaakt heb? Ik kan ook al een heleboel woordjes lezen, dat heeft Bas me geleerd.'

Opa trekt haar op schoot en strijkt haar door haar steile haar. 'Natuurlijk wil ik dat graag weten; en Bas, heb jij mooie cijfers?'

Bas zit in groep vijf, maar hij zegt: 'Poeh, cijfers, ik vind het niet leuk op school.'

'Dus jij krijgt geen mooie cijfers?' vraagt oma.

'Nou,' zegt Iemke, 'hij zou beter kunnen, maar zulke slechte cijfers haalt hij toch niet.'

Opa is tóch trots op zijn kleinzoon.

Iemke zegt: 'Ik ga van de week wel een keertje naar Katja.' Ze zijn al vanaf de eerste klas van de middelbare school vriendinnen. 'Ze wil soms tegen mij haar hart wel luchten. In de tijd van de scheiding heb ik ook veel met haar gepraat, zonder resultaat overigens. Ik ben van de week ook naar oma geweest,' laat ze erop volgen, 'heeft ze dat nog verteld?'

'Ze zegt alleen maar dat ze nooit bezoek krijgt,' zegt Mandy, want Astrid is met Lobke aan het praten.

'Ik vind dat ze hard achteruit gaat. Lennard wil niet mee, hij vindt het eng,' zegt ze zacht, met een schuin oog naar Lennard. 'Zou ze eigenlijk nog wel daar mogen blijven wonen?' Astrid vertelt dan wat de directrice gezegd heeft. 'Het kan ook niet meer, maar ten eerste wil ze niet weg en ten tweede is er ook geen plaats in het verzorgingshuis.'

'Triest hoor.'

Mandy vertelt dat ze een agenda gekocht heeft die ze bij oma neer wil leggen; iedereen kan daarin schrijven wanneer hij of zij geweest is. Zodat de anderen ook weten wie er op bezoek geweest is.

Dat lijkt hun allemaal een goed idee.

'Ze weet toch nergens meer van,' zegt Lennard, om zich te verdedigen, 'dus wat heeft ze er aan of ik wel of niet kom.'

'Niet waar,' valt Mandy, tegen haar gewoonte in, fel uit. 'Ze weet soms nog dingen van een poos geleden, opeens maakt ze een opmerking, dan denken we: Zie je wel, ze weet nog best veel.'

'Ja, ze gaan terug naar hun jeugd, daarin zijn ze thuis, maar wie er op bezoek komt, zijn ze binnen vijf minuten vergeten.'

Mandy doet haar mond al open om tegen Lennard in te gaan, als Iemke er vlug tussenkomt. 'Ik vraag me soms af of ze zelf weet dat ze dement is.'

'Bij tijden wel,' zegt Astrid, 'als ik alleen ben met haar, dan zegt ze vaak dat ze niets meer weet, dat ze alles vergeten is, dat het een warboel in haar hoofd is. Ik denk dus dat ze het wel degelijk weet en dat dát het ergste is voor haar is.'

Lobke en Bas vinden dat praten van die grote mensen maar niks en vragen aandacht. Opa gaat even een blokje om met hen, en de dames gaan de lunch klaarmaken.

's Avonds brengt Hugo de kinderen terug bij Katja. Hij heeft nog steeds een huissleutel en laat zichzelf en de meisjes binnen.

Katja is niet in de huiskamer of de keuken. Sifra klemt zich vast aan haar vaders been en zegt met een klein stemmetje: 'Pap, blijf je nou weer hier slapen? En breng jij me dan naar bed?' Hugo moet slikken door een lastig brok in zijn keel.

'Pappa gaat straks naar zijn eigen huis en mamma brengt jullie naar bed. Woensdagmiddag kom ik jullie weer halen.'

Tegen Mirthe zegt hij: 'Ga jij maar naar boven, kijken of mamma nog ziek is.'

Ze roept al op de trap: 'Mam, ben je nog erg ziek?'

Katja is zich aan het aankleden en zegt: 'Ik kom zo.'

'Ben je weer wat opgeknapt?' vraagt Hugo als ze beneden komt.

'Mmm, ja, gaat wel weer.'

'Ga je wel werken morgen; kun je de kinderen zelf naar school brengen?'

'Dat zal wel moeten, kom, dan gaan jullie gauw naar bed, zeg je vader maar welterusten.'

Ze vliegen Hugo om de hals en knuffelen hem tot hij bijna geen adem meer heeft.

Hij maakt hun armen los en duwt hen zachtjes naar Katja; daarna gaat hij ook meteen weg. Het kost hem elke keer weer de grootste moeite om hen los te laten.

'Gauw mee naar boven, hebben jullie vanmorgen gedoucht?'

'Ja. We zijn bij pappa in bad geweest, lekker met veel schuim.'

'Dan gauw uitkleden, tanden poetsen en naar bed, het is toch al weer veel te laat.'

'Mam, we zijn vanmorgen met pap naar de kerk geweest, er was kindernevendienst en de juf heeft zo'n mooi verhaal verteld. En we mochten een tekening maken.'

Ze snateren door elkaar: 'We zijn ook bij opa en oma Smid geweest en we mochten Joepie uitlaten.'

'Nu stil en slapen, ik wil niets meer horen.'

'We moeten nog bidden en we hebben niet eens een nacht-zoentje van je gehad,' pruilt Mirthe.

Ze buigt zich over hun bedjes en geeft hun een kus. 'Bidden doe je maar onder de dekens,' zegt ze, terwijl ze de kamer uit gaat.

'Ik vind pappa veel liever dan jou,' is het laatste wat Katja hoort als ze naar beneden gaat.

Als ze maar een paar dagen bij hem zijn, is het niet moeilijk om lief te zijn, denkt Katja, bij haar zeuren ze vaak en zijn ze lastig. Ze snapt nog steeds niet dat het voor het grootste deel aan haarzelf ligt, of ze wil het zichzelf niet toegeven.

De volgende morgen brengt Katja de kinderen naar school en gaat meteen door naar haar eerste adres. Ze werkt in de thuis-zorg. Ze is dan om half vier klaar en kan de meisjes uit school halen.

Voor haar gemak eet ze dan vaak bij haar ouders. Mirthe en Sifra vinden dat veel leuker dan met een mopperende moeder naar huis te gaan.

Astrid is vaak nog niet thuis als Katja komt; ze bezoekt regel-matig zieke, eenzame of oude mensen. Ze moet ook vaak met een van hen naar een arts of het ziekenhuis.

En dan is er ook nog haar eigen moeder. Vanmiddag is mam naar Anneke, haar enige zus. Ze hebben nu besloten om con-tact op te nemen met de huisarts voor opname van hun moe-der. Zo kan het niet langer. Ze heeft de verpleegkundige weggestuurd; ze loopt 's nachts te dwalen, is incontinent. Maar ze wil alleen in haar eigen huisje blijven. Een moeilijke situatie.

Anneke is tien jaar ouder dan Astrid; haar man Jan is na drie jaar huwelijk gestorven. Kinderen hebben ze niet gekregen.

Ze gaat heel leuk om met haar neven en nichtjes, maar ze is toch wel eenzaam. Astrid betrekt haar zoveel mogelijk bij haar gezin, maar als ze dan hoort hoe vaak Astrid haar kleinkinderen ziet, steekt dat wel eens.

'Ik moet nodig naar huis, de schare wacht op voedering,' zegt Astrid.

'Het is bij jou thuis altijd de zoete inval.'

'Ga je mee-eten?'

'Nee, nu maar niet, ik heb nog een restje van gisteren en ik moet om half acht alweer bij een vergadering zijn. Een andere keer graag. Eten Katja en de kinderen nog steeds bij jou? Of heb je dat intussen afgeschaft?'

'Het gaat niet goed met Katja,' vertelt Astrid zorgelijk. Ook dat de kinderen tekortkomen bij haar en dat ze daarom nog maar besloten hebben om het voorlopig zo te laten.

'Ik vind het allemaal zo sneu, maar zou je haar niet te veel verwennen?'

'Ik weet het niet, ze is nooit makkelijk geweest, dat weet jij net zo goed als ik. Bert is behoorlijk boos op haar geweest, maar ze trekt zich nergens iets van aan. Iemke zou van de week nog proberen om met haar te praten, ik hoop maar dat het wat oplevert.'

'Misschien,' zegt Anneke bedachtzaam, om meteen op een ander onderwerp door te gaan. 'Hoe gaat het met Iemke en Lennard en de kinders? Ik hoor zo weinig van hen. Iemke kwam nog wel eens aanwippen, maar ze is al een poos niet geweest.'

'Iemke zei dat ze al een paar keer bij je aan de deur geweest is, maar je was niet thuis, dat was een teleurstelling voor Lobke en Bas.'

'Ach, ja, sorry hoor, ik ben ook zo vaak weg, ze kan me beter eerst even bellen als ze van plan is om te komen.'

De volgende avond gaat Iemke inderdaad naar Katja, ze gaat vroeg, vóór zeven uur, want ze wil er zijn voordat de kinderen naar bed gaan.

Op haar bellen doet Mirthe de deur open. 'Hai, tante Iemke, zal ik je jas ophangen? Mag het wel op de kinderkapstok, anders kan ik er niet bij.'

'Wie is daar?' hoort ze de mopperige stem van Katja.

'Mam is een beetje boos, let er maar niet op,' zegt ze eigenwijs.

'Ben ík,' roept Iemke.

Mirthe zegt: 'Tante Iemke is er, gezellig hé?'

Sifra komt meteen aanhollen. 'Tantiemke, breng jij ons naar bed?'

Lachend zegt ze: 'Als jullie mam het goedvindt.'

Mirthe antwoordt: 'O, die vindt het best, ze zei net dat ze te moe was om ons naar bed te brengen, dat we zelf maar moesten gaan.'

'Eerst even naar binnen, je mam gedag zeggen.'

Katja hangt lusteloos op de bank, een sigaret in haar mond; met een half oog kijkt ze naar een soapserie op de tv.

Iemke buigt zich over haar heen om haar een kus te geven, maar Katja draait haar hoofd om, echter niet vlug genoeg, de zoen plakt ergens bij haar oor, maar Iemke heeft het toch al geroken: Katja heeft gedronken. Steeds vaker doet ze dat, vermoeden ze allemaal, maar nu ziet Iemke ook de fles naast de bank staan.

'Hoe is het met je, ben je een beetje opgeknapt?'

'Nou, ik moet wel, met de kinderen en mijn werk, maar ik ben te moe om wat dan ook te gaan doen. Elke dag hetzelfde bij de mensen: toilet, badkamer, ramen zemen, stofzuigen en 's middags ergens anders hetzelfde liedje. Bah, ik baal ervan. Dan ook nog het gemier van al die mensen aan m'n kop. Ik hoor dat jij de kinderen naar bed wilt brengen, graag; ze zijn

zo vervelend, jengelig en zeurderig, niks is er goed.'
Nee, denkt Iemke, dat begrijp ik wel, het is ook niet gezellig met zo'n moeder.
'Kom, meiden, dan gaan we naar boven en Katja, als ik beneden kom, zet ik een kop koffie voor jou en mij, goed?' Lusteloos knikt deze.
Iemke neemt Mirthe en Sifra mee, nadat ze hun moeder een nachtkus gegeven hebben. Op de trap vragen ze al: 'Tantiemke, ga je een heel lang verhaal vertellen?' Zonder erover na te denken belooft ze het.
Opgewonden snateren ze onder het uitkleden door elkaar, dat het zo leuk was bij pappa en bij oma en opa Smid. Ze laten de knuffel zien die ze van oma gekregen hebben.
'Hebben jullie vanmorgen gedoucht?' vraagt Iemke.
Ze kijken elkaar aan; nee, ze waren laat en ze moesten naar school. 'Mogen we nu, tantiemke?'
'Gauw dan maar.' Terwijl ze hen lekker afsopt, afspoelt en afdroogt, praten de kinderen honderduit.
'Nu vlug pyjama's aan, tanden poetsen en in jullie bedjes.'
'Eerst bidden, hé?' vraagt Mirthe voor alle zekerheid. Ze liggen al op hun knietjes, en als ze hun gebedje opgezegd hebben, zegt Mirthe er nog achteraan: 'Heer, wilt U maken dat mamma niet meer zo moe is? Amen.'
'Waar is het voorleesboek?' vraagt Iemke.
'Nee, tantiemke, een verhaal vertellen, zelf verzonnen,' bedelen ze. En dat doet ze dan maar.
Ze verzint er van alles bij. Als het uit is zegt Mirthe: 'Wat een gek, leuk verhaal was dat.'
'En nu als haasjes onder je dekbed, welterusten.' Iemke dekt hen toe en geeft hun een nachtzoen.
Beneden zit Katja nog even lusteloos op de bank. Het is rommelig en stoffig in de kamer. Iemke zet gauw koffie.
Even later komt ze met de koffie weer binnen: 'Ik ben zo

vrij geweest om in je trommeltjes te neuzen en ik heb een pak speculaasjes gevonden.'

'Je mag het wel openmaken, en neem maar wat je wilt, maar ik hoef niks,' zegt Katja, terwijl ze een sigaret op steekt.

Iemke gaat tegenover Katja zitten, die alweer tv kijkt of er geen Iemke in de kamer is. Maar die pikt dat niet en zegt: 'Gooi die televisie maar uit, of is het erg spannend? Veel gezelliger toch om een praatje te maken?'

'Praatje te maken, mij de les lezen zul je bedoelen. En je hoeft ook niet met vrome praatjes aan te komen, zo van: God zorgt toch ook voor jou en je kinderen! Laat me niet lachen, ik geloof niet dat het allemaal door God bestuurd wordt. Denk je nou heus dat God al die miljarden mensen bij name kent? Dat kán helemaal niet. Ik denk dat we er zelf een troep van maken. Ach, laat maar, iederéén heeft wat tegen mij. Mandy was ook niet vriendelijk en pa kwam me uitkafferen. Nou, als je dat van plan bent, kun je beter weggaan als je koffie op is.'

'Bedankt dat ik nog even mijn koffie op mag drinken,' zegt Iemke laconiek, 'maar ik wil graag nog een poosje blijven, ik wil je graag helpen.'

'Helpen, waarmee? Ik héb geen hulp nodig.'

'Als je geen hulp nodig hebt moet je 's normaal doen, want zoals je je nu gedraagt, dat is abnormaal. Zég dan waarom je zo boos bent, of waarom je verdriet hebt, maar laat de kinderen daar de dupe niet van worden.'

Opeens begint Katja te huilen, ze wíl dat helemaal niet en daar wordt ze nog bozer van: 'Ga alsjeblieft weg. Denk je dat jíj er wat aan doen kunt?'

'Als je niet zegt wat er is, kan ik inderdaad niets doen, maar toe, Katja, wees nou eens even redelijk en vertel me waarom je zo boos en verdrietig bent.'

Hortend en stotend en al snikkend stamelt Katja boos: 'Ik kan niet alleen zijn, ik kan er niet tegen. Altijd alleen met de kinderen, met wie je geen zinnig woord praten kunt, en dan de weekenden als ze bij hun vader zijn, die duren helemáál eindeloos.' Ze merkt zelf niet hoe tegenstrijdig haar woorden klinken.

Iemke slaat haar arm om Katja heen en zegt, terwijl ze haar schoonzusje naar zich toe trekt: 'Wat denk je, wie heeft daar de meeste schuld aan?'

Katje duwt Iemke weg en zegt verontwaardigd: 'Je wilt natuurlijk beweren dat het mijn eigen schuld is, maar je weet toch dat het niet meer ging tussen Hugo en mij, dat we het nooit eens waren en dat Hugo dan de hele dag zijn mond niet meer open deed, behalve tegen de kinderen? O ja, die waren, en zijn nog, alles voor hem, mij had hij niet nodig, alleen die meiden. Een normaal gesprek was niet meer mogelijk, hij wilde de dingen nooit uitpraten.'

Iemke zegt wijselijk maar even niets meer, maar ze denkt: Je hebt het zelf verziekt met je jaloezie en nu zie je nóg niet in dat de meeste schuld bij jou lag. Dat Hugo dat zat werd, kan ik me levendig voorstellen. Maar jij bent degene die het meest op de scheiding aangedrongen heeft.

'Rook je weer?' vraagt ze.

Katja steekt alweer een sigaret op. 'Ja, en dat is míjn zaak, daar vind ik nog een beetje troost bij en ook bij mijn slokje.'

Daar gaat Iemke maar niet op in. 'Jammer, je was gestopt met roken omdat Sifra er slecht tegen kan met haar astma.'

'Ik heb liever dat je nu maar weggaat, iedereen is toch tegen mij, ik heb niemand. Maar weet je waar ik mee bezig ben? Ik ben op zoek naar een nieuwe relatie. Ik word gek van het alleenzijn.'

Iemke besluit om hier niet op in te gaan. Ze geeft Katja een kus en zegt: 'Als we weer eens normaal praten kunnen, zoals vroeger, dan hoor ik het wel. Ik ga naar huis.'

3

Op een koude, stormachtige winteravond wordt er gebeld bij huize Verhoef. Bij hoge uitzondering zijn ze alledrie thuis, de televisie staat aan, het is net acht uur, dus kijkt Bert naar het journaal.

Mandy doet open: 'Ha, Hugo, gezellig dat je komt, doe gauw je jack uit, binnen is het lekker warm.'

'Is eh …' Pa, Bert, meneer Verhoef? Wat moet hij zeggen? Dus vraagt hij maar: 'Je vader is zeker niet thuis?'

'Je boft,' lacht Mandy, 'hij is thuis en hoeft de hele avond niet weg. Dat is bijzonder, hè?'

Ze gaat hem voor naar de huiskamer. Na de scheiding hebben Astrid en Bert tegen Hugo gezegd dat hij altijd welkom is. Hij loopt 's avonds vaak met zijn ziel onder zijn arm en daarom is even bij zijn ex-schoonouders aanlopen een welkome afleiding.

Hugo is een aardige, rustige man. Gelijkmoedig van aard, echt een lieve man en juist daarom is het waarschijnlijk verkeerd gegaan. Hoewel Bert en Astrid zich wel eens afvragen of Katja het met wie dan ook wél zou kunnen uithouden. Zij heeft een moeilijk karakter. Iedereen heeft het fout gedaan, maar Katja nooit en daar blijft ze over mokken.

'Ze heeft me zelf weggestuurd,' zegt Hugo met een bittere grijns, 'en nu kan ze niet tegen het alleenzijn. Ik hoorde het verhaal van Iemke. Maar ik vind het voor Mirthe en Sifra zo erg, ze komen aandacht en liefde tekort. Ik probeer ze dat wel te geven als ze bij me zijn en ik ben heel blij dat ze hier tussen de middag zijn en 's avonds mee mogen eten, hier krijgen ze liefde.'

Hugo die zoveel zinnen achter elkaar zegt, ze zijn het niet van hem gewend.

'Weten jullie dat ze op zoek is naar een nieuwe partner?

Ze heeft het me zelf verteld, ik weet niet of ze dacht dat ze me daar jaloers mee maken kon. Maar ze zei erbij dat ze zich ingeschreven had bij een christelijk relatiebureau om een gelijkgestemd persoon te vinden. Dat viel me niet tegen.'

Ze zijn er allemaal stil van, dat wisten ze nog niet. Bert kijkt de kring rond en zegt: 'Waar zal dat weer toe leiden?'

Astrid zucht: 'We kunnen ons er beter maar niet meer mee bemoeien, ze snauwt trouwens iedereen van de deur. Maar dat ze toch voor een christelijk relatiebureau gekozen heeft ... wonderlijk.

'Als ze 's avonds hier eet met de kinderen, wordt er dan nog wel eens ergens over gepraat?' vraagt Hugo.

'Je weet hoe dat gaat: de kinderen zijn druk. Mandy vertelt over wat ze meegemaakt heeft op haar werk en Katja wil soms wel eens iets vertellen over het gezin waar ze die dag gewerkt heeft. Verder gaat het alleen over koetjes en kalfjes. Je kent dat wel. Na het eten is ze meestal de eerste die van tafel op staat, ze kleedt de kinderen aan en gaat weg.'

'Dus ze helpt niet eens met afruimen en afwassen?' vraagt Hugo.

'Nee, maar dat is míjn schuld,' zegt Astrid, 'ik zeg altijd: Ga maar, Mandy en ik wassen wel af.'

'Soms doe ík dat,' zegt Bert met een quasiverongelijkt gezicht. Wat een hoongelach aan moeder en dochter ontlokt.

'Eén keer per maand of nog minder, je moet meestal gelijk met Katja al weg.'

'Nou ja, ik breng hen naar huis als het erg regent of koud is, ik vind het zo sneu om de meisjes door zulk weer te laten gaan. Katja is ook boos omdat ze zich geen autootje meer kan veroorloven.'

Bert vraagt of de dames een wijntje willen en aan Hugo of hij een pilsje lust; daarna wordt er nog een uurtje gepraat over de toestand in de wereld. Het zinloze geweld, ook in het eigen land. Als Hugo wat later vertrokken is en Mandy naar boven is gegaan, praten Bert en Astrid nog verder over Katja en wat daarvan terecht moet komen. 'Wat ze nu weer prakkiseert, een nieuwe partner door een of ander bureau, ik begrijp niet waar ze aan begint,' zegt Astrid, terwijl ze de glazen en bakjes van de chips op een blad zet.

'Ik begrijp het wél, ze kan niet tegen alleen zijn, ze moet iemand om zich heen hebben om uit te foeteren.'

Astrid schiet in de lach. 'Dat is ook mooi uitgedrukt; als je daar een partner voor moet zoeken. Ik zou het allemaal nog niet zo erg vinden, als die schapen van kinderen daar maar niet de dupe van waren.'

'Je weet hoe Katja is, hoe ze altíjd al geweest is: altijd overal tegenin gaan en haar gelijk willen halen. Die ellendige jaloezie, ze stoot er zo'n beste jongen als Hugo door van zich af. Zag je hoe moeilijk hij het ermee heeft?' Bert mag Hugo graag. Katja is zijn dochter, maar toch vindt hij dat het haar schuld is dat het huwelijk stukgegaan is.

'Stel dat ze een nieuwe partner vindt, via een relatiebureau, of hoe dan ook, dan hoop ik dat het dan een christen zijn zal. Ik ben al blij dat ze voor een christelijk relatiebureau gekozen heeft,' merkt Astrid op.

'Ja, daar ben ik ook heel blij om, ze doet zo onverschillig over haar geloof. Naar de kerk is ze na haar scheiding nog niet geweest. Ik geloof dat de meisjes dat missen, ze vertelden vol enthousiasme dat ze met oma en opa Smid naar de kinderne-vendienst geweest waren.'

'Laten we er het beste maar van hopen, we gaan eerst maar eens naar bed, vind je niet? Het is bij twaalven.'

Een halfuurtje later is het stil in huize Verhoef. Astrid kruipt in Berts armen, ze zoekt troost bij hem. Spoedig daarna is Bert in diepe slaap, maar Astrid ligt nog lang te tobben, tot ze

denkt: Wat ben ik toch dom, waarom bespreek ik de moeilijkheden niet met mijn hemelse Vader?
Ze vouwt haar handen onder de dekens en brengt haar zorgen en verdriet bij Jezus. Dan krijgt ze rust.

Eindelijk is het voorjaar. In de vroege winter heeft het een paar weken gevroren; iedereen praatte al over een elfstedentocht, maar toen begon het eind januari te dooien en daarna was het steeds regen, storm en natte sneeuw, of sombere dagen waarop het bijna niet licht wilde worden. Maar nu is het half maart, de zon schijnt, de temperatuur wordt aangenamer. Iedereen begint al over vakantie na te denken.
Maar zover is het nog niet. Vader Bert, die er erg van houdt om zo nu en dan eens een weekendje weg te gaan, heeft voorgesteld om met de hele familie op stap te gaan. Katja was echter de eerste die zei dat ze daar geen zin in had. 'Zullen we dan maar niet gaan?' stelde Astrid voor. Maar Bert wilde daar niets van weten en Mandy viel hem bij. Lennard en Iemke vonden het ook een goed plan. Iemke opperde om Mirthe en Sifra mee te vragen, tenminste, als Katja dat goed vond. En ja hoor, ze vond het een goed plan, als zij maar thuis kon blijven.
Dus wordt besloten om van vrijdag tot maandag naar een bungalowpark op de Veluwe te gaan. Ze hebben een tienpersoons bungalow gehuurd. De kinderen, Bas en Lobke en ook Mirthe en Sifra, zijn door het dolle heen. Met oma en opa en tante Mandy uit, iets leukers kunnen ze niet bedenken.
De kinderen krijgen twee dagen vrij van school. De familie vraagt Hugo mee, die het aanbod met beide handen aanneemt als hij hoort dat Katja niet mee gaat.
Ze treffen het met het weer. Vol goede moed stappen ze in twee auto's. Het is een uurtje rijden naar het bungalowpark. De kinderen zijn opgetogen over de stapelbedden en ze kib-

belen wie er bij wie op de kamer mag. Lobke en Sifra willen samen, dus blijven Bas en Mirthe over, die vinden dat ook leuk met hun tweeën.

Het wordt een heel gezellig weekend. Zaterdag willen ze graag wandelen, ze zijn allemaal echte wandelaars. Maar de kinderen houden er niet van, o ja, zo'n stukje op de camping, maar verder ...

'Weet je wat?' zegt oma Astrid, 'gaan jullie maar met je vijven, dan blijf ik thuis met de kinders, vinden jullie dat leuk, jongens?' Er gaat een gejuich op; bij oma blijven die spelletjes met hen doet en hen eindeloos voorleest. En pannenkoeken met hen bakt. Zo is iedereen tevreden.

Astrid is vaak moe de laatste tijd, en zo'n eind wandelen kan haar niet zo bekoren.

Het weer blijft mooi, maar op zondag verandert dat; als ze 's morgens wakker worden, giet het van de regen. 'Zullen we met ons allen naar de dienst gaan die hier op de camping wordt gehouden? Iemke kijkt naar haar man, zal hij voor de lieve vrede meegaan?

Maar nee. 'Ik duik nog een poosje mijn bed in, ik heb een spannend boek.'

Bert is een beetje ontstemd, maar zegt er niets over. Het helpt toch niet, en als hij wél meegaat en zijn kritiek spuit, is het nog erger. Iemke gaat bijna altijd alleen met de kinderen naar de kerk. Van Lennard is net weer een nieuw boek uit gekomen.

Hij heeft al enkele prijzen gewonnen, maar de boeken die hij schrijft zijn ronduit kwetsend voor christenen. Bert heeft al zo vaak met hem gepraat, maar hij blijft bij zijn standpunt dat godsdienst allemaal verlakkerij is. Op zondag met een vroom gezicht voor in de kerk zitten en op maandag de mensen beduvelen waar ze bij staan.

Hij kent de kerk van binnenuit, juist daarom is het zo gemakkelijk om de dingen te overdrijven en de draak ermee te steken. Dominees en ouderlingen belachelijk te maken. God loochenen in zijn boeken.

Dat is het ergste.

Astrid en Bert hebben er veel verdriet van. Iemke vindt het ook heel erg, ze hebben nu met elkaar afgesproken om het onderwerp niet meer aan te roeren, want er komen alleen maar steeds fellere discussies van. Willen ze gewoon met elkaar omgaan, dan is het beter dat er over dit onderwerp niet meer gepraat wordt.

Lennard probeert zijn vader soms uit de tent te lokken, maar Bert gaat er maar heel zelden op in.

Astrid en hij hebben allebei een boek van hem gelezen, eigenlijk moeten ze trots zijn op een zoon die zulke bestsellers schrijft. Diep in haar hart is Astrid dat ook, maar ze bidt dat hij tot inkeer komt en een ander soort boeken gaat schrijven.

4

Astrid zit even uit te puffen, ze is doodop; ze heeft vanmorgen het huis een goede beurt gegeven, Mirthe en Sifra gehaald om een broodje te eten en ze weer naar school gebracht en nu net twee bezoekjes afgelegd. Ze ziet dat Mandy met een verschrikt gezicht en hijgend door het tuinpoortje binnen komt hollen.

Wat is er? wil Astrid vragen, maar Mandy brandt al los: 'O mam, ik zag oma op de fiets en ze slingerde zo. Ik stond bij de slager in de winkel, je kijkt daar zo de Hugo de Grootstraat in, daar kwam ze de hoek om. Ik weet zeker dat ze het was, maar ik was lopend en ik kon haar niet inhalen. Hoe kan dat nou? Oma heeft zeker al in geen twee jaar meer gefietst.'

Astrid is opgesprongen. 'Weet je wel zeker dat het oma was?'

'Absoluut, ze had die bruine jas aan en haar groene hoedje op. Wat moeten we doen?'

'Ik ga kijken of ik haar vinden kan.'

'Ik ga met je mee, mam.'

'Auto of fiets?' Mandy stapt al in haar twaalf jaar oude Polo. Ze rijden naar de aanleunwoningen, waar oma op nummer zeven woont. Astrid heeft de sleutel, als ze aanbellen en niets horen, gaan ze naar binnen. Maar er is niemand. Wat nu? Ik ga even naar het huis, misschien weten ze daar meer,' zegt Astrid.

Als ze daar aankomen, is het een hele consternatie bij de receptie. De directrice loopt naar Astrid en Mandy toe en zegt: 'Wist u het al? Uw moeder is naar het ziekenhuis gebracht, niets ernstigs, ze heeft alleen een hoofdwond die gehecht moet worden. Wist u dat ze op de fiets weggegaan is?'

'Ik zag haar rijden, wat is er gebeurd?' vraagt Mandy.

'Volgens de politie is ze tegen een stilstaande auto aan gereden, gevallen, en even buiten bewustzijn geweest. Maar ze fietste toch allang niet meer?'

'Nee, haar fiets stond altijd in het gangetje, die mocht niet weg. Hadden we hem toch maar weggedaan,' zegt Astrid.

'Laten we gauw naar het ziekenhuis gaan,' stelt Mandy voor. Ze hebben oma op een kamertje alleen gelegd. Ze mogen meteen bij haar. Oma ligt er, stil en wit, met een groot verband om haar hoofd. Ze wil overeind komen als ze Astrid en Mandy ziet.

'Blijf maar rustig liggen, zie je wel dat wij er zijn? Wat is er gebeurd?'

'Ik zie wel dat jij mijn dochter bent, maar dat meisje? Waarom komt zij ook mee?'

Mandy springen de tranen in haar ogen. 'Oma, weet je het niet meer? Ik ben toch Mandy, je kleindochter? Waarom ging je fietsen? Ik ben zo geschrokken.'

Alleen dat laatste dringt tot oma door. 'Fietsen? Ik ga nooit meer op de fiets weg, maar hij staat toch nog in de gang?' vraagt ze met grote angstogen.

Astrid en Mandy kijken elkaar aan, maar ze besluiten beiden om dat heikele onderwerp te omzeilen. 'Weet je nog wat er gebeurd is?'

'Nee, en ik weet ook niet waarom ik hier ben, maar mijn hoofd doet zeer.'

'Ik ga even kijken of er een dokter of zuster is die me iets vertellen kan,' zegt Astrid zacht tegen Mandy.

Waarop oma reageert: 'Niet fluisteren in gezelschap, dat weet je toch ondertussen wel.' Ze moeten er even om glimlachen.

Astrid gaat op zoek naar iemand die haar vertellen kan hoe haar moeder eraan toe is. Niets ernstigs, wordt haar verteld, misschien een lichte hersenschudding, plus de hoofdwond.

En inderdaad, ze heeft een behoorlijk diepe hoofdwond, die al gehecht is. Er moeten nog een paar onderzoeken gedaan worden naar inwendige kneuzingen, maar de dokter denkt dat er niets ernstigs is.

Na een paar dagen mag oma weer naar huis, maar allemaal beseffen ze dat ze niet langer in haar huisje kan blijven. Astrid en Anneke hebben in overleg met de directie besloten om haar in een verpleeghuis in te laten schrijven, want voor een verzorgingshuis komt ze niet meer in aanmerking. Ze hebben daarbij wel het gevoel dat ze haar 'weg' willen doen, op laten sluiten, maar het is niet meer verantwoord zo. Er kwam één keer in de week huishoudelijke hulp bij oma, maar die had ze ook al weggestuurd. 'Ik kan het zelf wel, en al die pottenkijkers in mijn huis, daar moet ik niets van hebben,' was haar oordeel.

Het maakt het voor Astrid en Anneke extra zwaar, want nu moet er ook nog schoongemaakt worden. Astrid is er zo moe van, ze voelt zich de laatste tijd niet erg in orde, maar ze schuift alles op de toestand met haar moeder.

Voorzichtig hebben ze haar proberen voor te bereiden op het verpleeghuis; ze wil er niets van horen, maar een poosje later is ze het alweer vergeten. Telkens als ze bij haar komen, of haar gaan halen, beginnen ze over het verpleeghuis, in de hoop dat er iets van blijft hangen, maar ze wordt er alleen maar heel boos over of erg verdrietig van. Dus daar stoppen ze ook maar weer mee.

Gelukkig kan ze drie dagen naar de dagopvang en daar heeft ze het nu ook naar haar zin.

Soms belt ze om vijf uur in de morgen al naar Astrid of Anneke. Ze hoeft maar een knopje in te drukken, dus dat kan ze nog. Ze heeft dan geen besef dat het zo vroeg in de ochtend is, en dikwijls belt ze een halfuur later alweer, omdat ze niet meer weet dat ze net gebeld heeft. Het wordt een onhoudbare toestand.

Anneke, die hele dagen werkt, kan dit ook niet lang meer aan en voor Astrid is de grens al bereikt. Ze wordt in haar gezin kribbig, ze vit zelfs onnodig op de kleinkinderen. Ze moet 's middags een uurtje rusten, anders redt ze het niet. Bert en Mandy zien het met veel zorg aan, maar niemand kan iets veranderen aan de toestand.

Bert gaat vaak even naar zijn schoonmoeder, om Astrid te ontlasten. Maar steeds vaker zegt ze tegen hem: 'Meneer, ik begrijp niet wat u komt doen, u wilt mij naar een inrichting sturen, maar ik ben daar niet van gediend. Ik laat me niet wegstoppen.'

Ze hebben nu ook in de gaten dat ze slecht voor zichzelf zorgt. Ze zegt dat ze elke dag boodschappen gaat doen en ook iedere dag vers kookt. Maar Anneke ontdekte dat er een heleboel beschimmelde dingen in de koelkast stonden. Boodschappen doen is er niet meer bij en vaak vergeet ze gewoon te eten.

Wat ze het ene ogenblik zegt, is ze na een minuut weer kwijt. Het is zo vreemd, de momenten van helderheid en vergeetachtigheid wisselen elkaar heel snel af.

Op een avond als Bert weer op bezoek gaat, is ze niet thuis; dat is vreemd, ze gaat bijna nooit weg. Bert gaat naar het nabijgelegen verzorgingshuis om te vragen of ze daar is, of dat misschien iemand weet waar ze dan wél is. Het blijkt dat niemand er iets van af weet. Als Bert op onderzoek uit wil gaan, komt ze binnen strompelen, gearmd met een agent. Hij had haar gevonden op een bankje in het park, zonder jas, in de kou. Ze had gelukkig wel een tas bij zich en daarin zat een briefje met haar naam en adres.

Astrid kan het bijna niet meer aan, het is allemaal zo onwaardig. Zouden we haar niet beter bij ons in huis kunnen nemen, vraagt ze zich vertwijfeld af. Maar als ze daar tegen Bert dan over begint, is hij heel beslist in zijn afwijzing: 'Je zou het niet aan kunnen, besef je dat je dan 24 uur per dag voor haar klaar moet staan? Realiseer je je wel wat er allemaal nog meer gebeuren kan? Haar geheugen wordt steeds slechter. Je kunt wel zéggen dat ze iets mag of niet mag, maar ze is het meteen weer vergeten. Bovendien ben jij al een hele poos jezelf niet meer. Je bent kribbig, gauw boos, die dingen ken ik niet van je.' Hij neemt haar in zijn armen en koestert haar tegen zich aan. 'Schat, ik hou van je, en juist daarom zeg ik dat het niet kan. Jij bent zo vaak moe de laatste tijd, je hebt veel teveel werk en daarbij de spanning om dit alles.'

Ze maakt zich los uit zijn omarming en duwt hem van zich weg. 'Ik weet het, ik ben onuitstaanbaar de laatste tijd. Ik moet me inhouden om niet tegen de kinderen te snauwen.'

'Astrid, niemand neemt je dat kwalijk, je bent gewoon aan het eind van je Latijn. Daarbij is de spanning om je moeder net te veel. Bovendien zouden we tegen Katja moeten zeggen dat ze er nu maar aan wennen moet om haar kindertjes mee naar huis te nemen en daar te eten. Tussen de middag moet je Mirthe en Sifra al halen en brengen, daar heb je werk genoeg aan; daarbij nog je sociale contacten. Je holt van hot naar her, je komt aan jezelf niet toe.'

'Wat moet ik dán?' Het is een noodkreet en wanhopig klemt ze zich nu aan hem vast.

'Je moet eens beginnen om "nee" te leren zeggen. Het is mooi als je altijd voor iedereen klaar staat, maar als je daar zelf aan onderdoor gaat heeft niemand er iets aan. Ik denk dat je lichamelijk ook niet erg in orde bent, je klaagt nooit, dat weet ik. Misschien komt het alleen van al die spanning.'

'Ik mankeer niks,' zegt ze, vinniger dan ze bedoelt, maar meteen laat ze zich op de bank zakken. 'Alleen die vervelende hoofdpijn, maar dat komt echt door die toestanden.'

'Je slikt al zoveel pijnstillers, als ik jou was ging ik toch even naar de dokter, misschien weet hij wel iets wat echt helpt.'

'De dokter,' zegt ze mistroostig, 'hij zal me aan zien komen om een beetje hoofdpijn.'

'Dan niet,' zegt Bert kortaf, 'als je eigenwijs wilt wezen, moet

je dat vooral doen. Katja heeft het niet van een vreemde, dus.'
Hij gaat de kamer uit.

Astrid hangt op de bank, de dokter, ze heeft daar zelf ook al aan gedacht, er is iets met haar. Het is niet alleen die hoofdpijn, al wilde ze dat aan Bert niet laten merken. Het komt ook niet enkel van de spanning. Ze heeft pijn in haar onderbuik, maar ze schuift het steeds op de overgang: opvliegers, buikpijn, moe. En wat zal de dokter daaraan kunnen doen? Even afwachten nog maar.

Misschien als moeder in een verpleeghuis terecht kan, dat ze zich dan zelf ook wat beter voelt. Hoewel ze het vreselijk vindt, maar moeder zo alleen in haar huis, dat is écht erg. Elk ogenblik kan er iets gebeuren en als dat op een keer onherstelbaar is … Ze moet er niet aan denken. En haar in huis nemen, zoals ze tegen Bert zei … Ze weet zelf ook best dat dat geen optie is.

'Ha, die mam,' zegt Mandy, die met een frisse kleur binnenkomt, ze heeft een heel eind met Bob, de hond, gelopen.

'Je ruikt heerlijk naar de buitenlucht, het was wel lekker met die wind zeker? Wil je thee?'

Ze wil alweer opstaan, maar Mandy zegt: 'Blijf nou even zitten, ik kan zelf ook wel thee zetten, dan krijg je van mij een kop thee met wat lekkers erbij. Ben je moe?'

'Ja, een beetje,' en ze vertelt van pa's ervaring met oma.

Bob wil ook aandacht, hij moet toch zijn vrouwtje begroeten. Gedachteloos streelt Astrid over zijn kop en zegt: 'Brave hond.'

Katja heeft, provocerend, gezegd dat ze op zoek gaat naar een partner via een relatiebureau, maar nu ze erover nadenkt vindt ze dat nog niet eens zo'n gek idee, het verplicht haar tot niets en misschien vindt ze wel een leuke man. Allemaal noemen ze zich de beste en meest betrouwbare.

Haar opvoeding verloochent zich niet, ze laat zich inschrijven bij een christelijk relatiebureau. Dat verplicht haar nog nergens toe, ze moet er eerst nog maar een nachtje over slapen. Maar als ze 's avonds alleen in het brede bed ligt, voelt ze zich zo eenzaam dat ze bedenkt: Ik hóéf er niet eens een nachtje over te slapen, wat let me. Waarom zou ik het niét doen? Als het niks is, is er nog geen man overboord.

En zo gebeurt het. Katja maakt een afspraak met het relatiebureau en als ze daar heen gaat, wordt ze ingeschreven en daarna wordt er van alles aan haar gevraagd.

Is ze alleenstaand? Heeft ze kinderen? Is ze weduwe of is ze gescheiden? Werkt ze, en zo ja, wat doet ze?

Welke hobby's heeft ze? Behoort ze tot een kerkgenootschap en zo ja, welk?

En dan komt eindelijk de vraag: 'Wat voor man zou je willen?'

Ze zit tegenover een mollig, klein vrouwtje, een gekleurd brilletje op haar neus en een hoofd met blonde krullen.

Katja zit met haar ketting te spelen.

'Ik zou graag een lieve, zorgzame man willen, die geduld met me heeft en ook lief is voor de kinderen.'

De vrouw die zich heeft voorgesteld als Tracy, kijkt Katja opmerkzaam aan.

'Zoek je iemand uit een bepaald milieu, met een bepaalde opleiding, in bezit van een auto, een eigen huis?' Tracy let goed op hoe Katja hierop reageert. Maar die durft haar niet aan te kijken.

'Ik geloof niet dat deze dingen het voornaamste zijn,' zegt ze, terwijl ze nog steeds met haar ketting frunnikt.

'Genoeg voor vandaag,' besluit Tracy, 'je krijgt een lijst mee, die je thuis op je gemak door kunt lezen en invullen. Kom volgende week om dezelfde tijd hier terug, als het je dan nog ernst is en je hebt een beetje nauwkeuriger opgeschreven wat jij wilt, dan praten we verder. Ik kijk intussen rond of er iemand is die eventueel bij je past.'

Niet ontevreden gaat Katja naar huis. Het is weer wat nieuws, ze heeft steeds een uitdaging nodig, waar ze zich dan aan vast kan klampen. Ze wil er thuis niet over praten, maar ze kan zo moeilijk een geheim bewaren, zodat ze het alweer zegt zonder er bij na te denken.

Als ze de volgende dag de kinderen uit school gehaald heeft, vraagt Mirthe: 'Gaan we nog even naar oma? Ik heb tussen de middag mijn boek daar laten liggen.'

Astrid ligt op de bank, maar ze springt overeind als ze hoort dat Katja er is met Mirthe en Sifra. Gauw een kopje thee zetten. De kinderen knuffelen haar of ze elkaar een jaar niet gezien hebben.

Als ze drinken en een snoepje gekregen hebben, zoeken ze meteen hun speelhoekje op.

'Mag ik een sigaret op steken, mam, ik kom net uit mijn werk en daar mag ik niet roken.'

'Hier eigenlijk ook niet, maar vooruit dan maar, voor deze keer. Je weet dat ik het liever niet heb.'

Als ze even later tegenover elkaar zitten, gooit Katja het er meteen uit. 'Mam, ik ben naar een relatiebureau geweest, ik heb me in laten schrijven.'

'Zo,' Astrid kijkt haar dochter onderzoekend aan. 'Wat verwacht je daarvan?'

Een beetje kribbig zegt Katja: 'Wat zóú ik verwachten, een man natuurlijk. Ik kan er niet tegen om alleen te zijn en sinds we hier niet meer eten 's avonds, zit ik van vier tot elf of twaalf uur alleen. Ik kan ook niet een poosje weg, want dan heb ik oppas voor de kinderen nodig.'

'Is dat allemaal niet een beetje je eigen schuld?'

Astrid vraagt het voorzichtig, maar Katja reageert heftig: 'Ja hoor, jullie mogen Hugo toch liever dan mij, ik heb het altijd gedaan, ik had een beetje meer begrip van je verwacht.'

Die eeuwige jaloezie weer, denkt Astrid, maar ze zegt: 'Hoe gaat dat op zo'n relatiebureau, vertel daar eens wat over.'

Meteen is Katja gekalmeerd en enthousiast vertelt ze van haar ervaringen. 'Ik ben zo benieuwd, als ik die vragenlijst ingevuld heb, breng ik hem meteen weg. Ik ben gisteravond al begonnen. Zo leuk: wat voor soort vrouw vind je jezelf, en wat verwacht je van een nieuwe relatie, maar ook welke hobby's je hebt, of je graag leest en zo ja, welk soort boeken. Of je van vakanties houdt, ver weg of hier in Holland.'

Dat is op en top Katja, denkt Astrid.

De deur gaat open en Mandy komt binnen. 'Ha, zus, ben je gezellig met mam aan het kletsen?' Maar daarna kan ze niets meer zeggen, want de kinderen hangen om haar nek.

'Tante Mandy, kom je met ons spelen?'

'Ik kom zo, even een kopje thee drinken.'

'Wat hoor ik, ga je met vakantie, Katja?' vraagt Mandy, die alleen de laatste zin opgevangen heeft.

Zit ik eens even met mijn moeder te praten, komt mijn kleine zusje er weer tussen, denkt Katja, maar heel liefjes zegt ze: 'Ik zat net te vertellen dat ik misschien met de kinderen een midweek naar Drenthe ga.'

Je wilt er dus niet over praten, denkt Astrid, die dan meteen ook maar op een ander onderwerp over gaat.

'Mirthe en Sifra hebben verlangend naar je komst uitgekeken, Mandy,' zegt ze.

5

Het gaat steeds sneller achteruit met oma en Astrid krijgt een telefoontje van de directie of zij en haar zus willen komen praten. Dan begrijpen ze meteen al waar het over gaat: ze kan niet langer in haar huisje blijven, en op de logeerkamer in het huis, waar ze nog geprobeerd hebben om haar zo lang mogelijk te houden, lukt het ook niet meer. De directrice is er verlegen mee, ze weet hoe moeilijk het is om te erkennen dat het niet meer gaat en dat het verpleeghuis het enige alternatief is.

Astrid en Anneke kijken elkaar aan, ze hebben het al die tijd aan zien komen, maar nu het zover is, overvalt het hen beiden toch. 'Is dat al gauw?' vraagt Anneke, terwijl ze een verdwaalde traan van haar wang veegt.

'Zo gauw mogelijk, dus deze week nog.'

Zo definitief, denkt Astrid, er is geen weg terug.

Ze gaan samen nog even kijken hoe het met haar is. Tot hun verrassing is Iemke met Lobke bij oma op visite. Het kind zit op haar schoot en oma streelt haar haren en wrijft over haar ruggetje, terwijl Lobke haar steeds vlinderzoentjes geeft. Het is zo'n lieflijk gezicht, dat Astrid en Anneke allebei volschieten. Ze reageert niet als haar dochters binnenkomen, zo gaat ze op in het kind.

'Lief hè?' vraagt Iemke. 'Ik wilde haar thuislaten, maar achteraf ben ik zo blij dat ik haar meegenomen heb.'

Opeens ontdekt ze dat Astrid en Anneke er zijn, ze duwt Lobke van haar schoot en vraagt: 'Wat komen jullie doen?'

Ze geven haar een kus. 'Anneke, zegt ze dan, 'ik snap dit niet, die puzzel is verkeerd. Kijk jij eens.'

Er ligt een krant op tafel met een kruiswoordpuzzel.

Ze schuift de krant naar Anneke toe, die nauwkeurig de puzzel bekijkt. Ze ziet dat haar moeder zomaar kriskras wat ingevuld heeft, woorden die te lang of te kort zijn.

'Mam, je gaat verhuizen,' zegt Anneke, ze valt dus met de deur in huis.

'Nee, dat doe ik niét, ik woon hier goed, ik ben niet gek of achterlijk, jullie willen me in zo'n ... zo'n huis, zo'n gesticht stoppen, ja, dan ben je van die ouwe zeur af.'

Astrid slaat haar armen om haar moeder heen. Ze trekt haar dicht tegen zich aan. 'We willen je niet kwijt en we stoppen je niet weg.'

'Maar zij wel,' zegt ze, wijzend op Anneke, die op haar lippen bijt om haar tranen tegen te houden, maar oma Stien heeft het al gezien. 'Ja, nou krijg je spijt dat je zo tegen je ouwe moeder doet,' zegt ze pinnig, om even later huilend te zeggen dat ze haar portemonnee kwijt is.

Astrid staat al op om hem te zoeken en even later vindt ze hem in de schortzak van haar moeder.

'Ze stelen hier alles,' zegt deze, als Astrid haar de beurs geeft. Iemke is stilletjes weggegaan met Lobke, oma heeft het niet gemerkt. Ze zijn allang blij dat ze van het heikele onderwerp af zijn.

Voorzichtig begint Astrid: 'De dagen dat je naar de dagopvang gaat, zijn gezellig hè?'

'Mmm, ja, soms wel, soms niet, soms, eh ... wil ik naar huis en dat vinden ze niet goed.'

Astrid en Anneke kijken elkaar aan, maar niet meer over praten, denken ze allebei.

Maar als ze even later weggaan en weer buiten lopen zegt Anneke: 'Ik vind dit zo vreselijk, hoe moet dat? We kunnen haar toch niet in de auto zetten en wegbrengen?'

'Zou ze morgen nog weten wat we gezegd hebben?' vraagt Astrid zich af. 'Misschien dat ze het nu al vergeten is.'

Ze gaan nog even kijken in het verzorgingshuis, misschien is er iemand die een oplossing weet.

'Gebeurt het vaker dat ze mensen tegen hun zin naar een verpleeghuis brengen?' vraagt Anneke, als ze even later de directrice te spreken krijgen.

'Als iemand écht niet wil, is er weinig aan te doen, je kunt niemand dwingen. Maar in het geval van jullie moeder ligt het anders, ze kan niet in haar huisje blijven; ze is een gevaar voor zichzelf en voor anderen, dus ...'

'... Moeten we haar inderdaad met een smoes in de auto zien te krijgen,' maakt Astrid bitter de zin af.

'In dit geval kan het ook anders: ze is gewend om naar de dagopvang te gaan, zorg dat jullie hier zijn als ze gehaald wordt, en ga mee. Als je afscheid neemt kun je zeggen: "Je mag nu ook een poosje logeren hier," dan zien we wel wat er verder gebeurt. Ik weet dat het hard is, maar als het deze week niet gebeurt, dan toch volgende week en liefst voordat er ongelukken gebeuren ... Ze kan hier vrij rondlopen, de deur uit gaan en gaan zwerven. U weet het zelf.'

Astrid en Anneke kijken elkaar aan, zou dit een oplossing zijn?

'Vrijdag dan?' vraagt de verpleegkundige die ook bij het gesprek aanwezig is.

Ze knikken, ja, dat moet dan maar.

Ze lopen samen naar Astrids huis. 'Ik vind dit vreselijk,' barst Anneke los, 'het is of je je moeder weg doet, of we van haar af willen zijn.'

'En dan een gesloten afdeling, wat afschuwelijk.' Astrid is in tranen en dan houdt Anneke het ook niet meer droog. Samen zitten ze een potje te huilen met de armen om elkaar heen geslagen, als Bert binnenkomt. Hij kijkt hen een voor een aan. 'Wat is hier aan de hand?' wil hij weten, maar hij herinnert zich meteen dat ze vanmiddag met de directrice van het verpleeghuis zijn wezen praten. 'Is het om moeder, is er een beslissing genomen?'

Ze beginnen gelijk te praten en houden ook meteen weer op. 'Vertel jij het maar,' zegt Anneke.

Astrid zegt, als ze even op adem gekomen is: 'Ze kunnen mam niet meer in haar aanleunwoning laten en ze is al te ver heen om in het verzorgingshuis opgenomen te worden. O, Bert, nu moet ze naar het verpleeghuis, vrijdag al. Ze wil absoluut niet. Als je er over begint, wordt ze furieus, ze kan dan niet meer uit haar woorden komen en roept: "Nee, nee, wil niet," net als een klein kind.'

Bert vraagt: 'Willen de dames misschien koffie?' terwijl hij al naar het apparaat loopt. Even de gemoederen kalmeren, denkt hij. Als hij even later de mokken voor hen neerzet, vraagt hij: 'Wat denken jullie, zal ík morgen proberen met haar te praten?'

'Dat zou ik fijn vinden,' zegt Anneke, 'ze mag jou erg graag en je hebt overwicht op haar. Maar of dat nu werkt, moeten we afwachten,' laat ze er somber op volgen.

Ze besluiten dat Bert de volgende middag na vieren, als oma thuis is uit de dagopvang, haar een bezoekje zal brengen.

De volgende middag arriveert Bert gelijk met het busje dat zijn schoonmoeder thuis brengt. Lachend stapt ze uit en als het tot haar doordringt dat Bert bij haar op bezoek komt, krijgt ze een nog bredere lach op haar gezicht. Zo, denkt Bert, dat is alvast een goed begin.

Ze vraagt of hij koffie wil, maar als Bert 'ja, graag' zegt, staat ze hulpeloos met de koffiebus in haar hand, zet hem neer en pakt de koffiepot op, die zet ze ook neer en komt de kamer in. 'Ik weet niet … Wat ging ik doen?'

'Laat maar,' zegt hij. 'Ik zal wel koffiezetten.'

O, ja, koffie. Dat was het, ze zit nog steeds te glimlachen. 'Je vergeet helemaal dat ik jarig ben, ik ben honderd jaar geworden,' zegt ze verwijtend tegen Bert.

'Bent u daarom zo vrolijk? Honderd jaar, dat is oud. Wel gefeliciteerd hoor.'

'Waarmee?' vraagt ze niet-begrijpend.

'U bent toch jarig?'

'Welnee, vandaag niet, ik ben op ... op tien, ik weet niet meer. Daarna komt er een verward verhaal, er was een man in het huis, die haar gekust heeft, zover Bert het begrijpen kan.

'Dus je was nog aan het flirten op je ouwe dag?' vraagt hij, lukraak.

Maar ze is het alweer vergeten en als hij even later koffie voor haar neerzet en er een gevulde koek bij geeft die hij onderweg bij de bakker heeft gehaald, zegt ze: 'Zo zo, koffie en koek, waar heb ik dat aan te ... eh ...'

'Danken?' vraagt hij. Ja, dat was het, knikt ze nog steeds vergenoegd en lachend.

Als ze geniet van haar koek en hem af en toe in de koffie sopt, begint Bert maar over het heikele onderwerp. 'Was het gezellig vandaag?'

'Wát gezellig? Dat weet ik niet meer, hoor.'

'Maar u kwam lachend thuis.'

Tot Berts verrassing schiet ze opnieuw in de lach. 'Er was een man, hoe heet zo'n vent ook al weer ... ik weet het niet, rooie neus en ... 'Een clown,' zegt Bert op goed geluk.

Stralend kijkt ze hem aan. 'Jaja, een clown. Allemaal lachen.' Ze schatert het uit, maar eindigt dan in een huilbui. Bert geeft haar een zakdoek en klopt haar op haar rug.

'Het was dus leuk,' constateert hij.

Ze knikt en lacht alweer door haar tranen heen.

'Zou u het nou niet leuk vinden om daar een poosje te logeren?'

Er komt een dromerige uitdrukking in haar ogen. 'Logeren, bij tante Betje en bij opoe?'

Bert begrijpt dat het verpleeghuis vergeten is, dat ze in het

verleden leeft, toen ze bij opoe mocht logeren.
Hoe nu verder? vraagt hij zich af. Kunnen en mogen we dat:
haar in de waan laten dat ze uit logeren gaat?
Maar het volgende ogenblik blijkt dat ze alweer vergeten is
waar ze het over hadden.
'Ik wil vragen ... ik weet niet wat ... mijn hoofd is te vol, ik
weet niet ... niet ... niets.'
Hij besluit om het er nog maar eens op te wagen: 'Het is toch
gezellig?'
'Gezellig ... wát ...?'
'Dan zit u hier niet in uw eentje.'
'Ik begrijp niet, ik weet niet ...'
Dan geeft hij het maar op, als ze nu 'ja' zegt, is ze het waar-
schijnlijk over vijf minuten alweer vergeten.
'Zal ik nog maar eens een lekker kopje koffie voor ons
maken?' vraagt hij dan maar.
'Ja, koffie, lekker.' Ze likt haar lippen.

Astrid ziet meteen dat hij niets bereikt heeft. 'Het lukte dus
niet,' stelt ze vast.
Bert vertelt haar van het gesprek. 'Zullen we haar dan echt
moeten ontvoeren en dumpen in het verpleeghuis?' vraagt ze
vol afschuw.
Bert haalt zijn schouders op, hij weet het ook niet meer.

6

Katja houdt vol. Het bemiddelingsbureau heeft gebeld en gevraagd of ze langs wil komen, omdat ze misschien een geschikt iemand voor haar gevonden hebben. Ze is helemaal in de wolken. Maar ook op van de zenuwen. Eerst maar eens kijken wie ze op het oog hebben.

Het gesprek valt haar niet tegen, ze moet vertellen over alle dingen die ze opgeschreven heeft.

Al de volgende dag krijgt ze weer telefoon van het relatiebureau, of ze de volgende avond naar restaurant 'De Drie Eiken' wil gaan, daar wacht een zekere Jan Peters. Hij wil haar graag ontmoeten.

Zo gauw al. Schrikt ze er dan toch voor terug? Wat moet ze met de kinderen? Ze kan toch moeilijk aan Hugo vragen of hij oppassen wil, of dat Mirthe en Sifra bij hem mogen slapen. Eerst maar vragen of Mandy bereid is om op te passen, ze hoeft toch niet te zeggen wat ze gaat doen?

Mandy vindt het best, ze vraagt niet waar Katja heen gaat, dus hoeft ze ook geen smoes te verzinnen.

'Kom je dan meteen uit je werk? Dan kun je mee-eten, de kinderen vinden dat ook leuk.'

Zo gebeurt het dat Mandy na haar werk al opgewacht wordt door de meisjes. Ze vinden het heerlijk, tante Mandy die gezellig komt eten en hen daarna in bad mag doen en naar bed mag brengen.

Mandy merkt wel dat Katja een beetje zenuwachtig is. Ze heeft haar hele klerenkast overhoop gehaald om te kijken wat ze aan wil trekken, doet nog eens een andere broek aan, nee, daar kleurt die mooie blouse helemaal niet bij. Daarna probeert ze een effen blouse, met één sjaaltje in de kleur van de broek. Helemaal voldaan is ze nog niet, maar als Mandy oprecht zegt dat ze er leuk en vlot uitziet, keurt ze het zelf ook goed.

Ze heeft zowaar veel werk gemaakt van het eten. Niks voor Katja, die helemaal niet van koken houdt en liefst kant-en-klare maaltijden mee neemt uit de supermarkt. En Mandy prijst haar kookkunst.

Aan tafel vraagt ze: 'Ben jij nog bij oma geweest?'

Waarop Mirthe er meteen op los snatert: 'Tante Mandy, wij zijn zondag met pappa geweest. Bij oude omaatje, toch? Ze was zo lief, ze wilde met mijn lange vlechten spelen en Sifra kreeg steeds een heleboel zoentjes van haar, en we kregen veel snoepjes en nog centjes ook.' Mandy ziet Katja misprijzend kijken. 'Nou, ík ga er niet meer heen, ik kan het niet aan. Oma, die altijd zo kwiek en zo wijs was, en nu zit ze als een kwijlend oud mensje te mummelen. Vreselijk!'

'Ja, maar oma was heel lief, hoor mam; ze zei steeds Astrid tegen me, ze vergiste zich. Tegen pappa zei ze Joop, zo heette haar man, zei pappa later. We hebben ook versjes gezongen, pap zei dat oma dat leuk vond. We zongen: "Jezus is de goede Herder, Jezus Hij is overal," en we zongen ook van: "Zing, zing, zingen maakt blij, zingen van Jezus, vrolijk en vrij." Toen ging pappa zingen van de wolken ruisen of zoiets en toen ging oma meezingen, toen zong pappa nog meer versjes die oma meezong, maar wij kenden ze niet. Oma lachte er bij, ze was echt blij.'

Sifra wil ook meepraten: 'We zingden ook nog van de sterretjes van goud.'

'Waarmee de meisjes willen zeggen dat het echt niet naar is bij oma,' glimlacht Mandy. 'Maar het gaat niet langer zo, alleen in haar eigen huisje. Mams en tante Anneke hebben een gesprek gehad met de directrice van het verzorgingshuis; ze moet naar het verpleeghuis. Er zit niets anders op.

Maar jij vraagt niet of óma het misschien fijn vindt als je komt, je denkt alleen maar aan jezelf. En in je gezinnen, zijn daar dan nooit dementerenden?'

'Ja, natuurlijk, maar daar hoef ik me niet mee te bemoeien. Ik doe mijn werk: poetsen en boenen en verder praat ik nooit.'
'Wat is een verpleeghuis, tante?' vraagt Mirthe.
'Een soort ziekenhuis,' verzint Mandy gauw.
'Waarom begin je hier ook over als de kinderen erbij zijn?' wil Katja weten.
'Sorry hoor, dat had ik beter niet kunnen doen. Ga jij maar,' zegt Mandy, 'ik doe de afwas wel.'
Ze wil niet vragen waar Katja heen gaat, maar ze heeft wel een vermoeden.
Als een nerveuze Katja om half acht vertrokken is, eisen Mirthe en Sifra meteen haar aandacht. Mamma heeft wel gezegd dat ze meteen naar bed moeten, maar ze weten best dat ze bij Mandy een potje kunnen breken.
'Tante Mandy, gaan we een spelletje doen?'
'Jullie moesten toch meteen naar bed van mam?'
'Ja, maar van jou niet, gaan we memory doen?'
'Vooruit dan maar, één spelletje en daarna badderen en naar bed.'
'En een verhaaltje vertellen,' eisen ze allebei.

Katja stapt in de auto, nerveus is ze wel. Hoe zou hij eruitzien? Ze hebben haar op het bureau verteld dat hij een heel lange man is. En inderdaad, als ze even later 'De Drie Eiken' binnenkomt, staat er aan een tafeltje in een knus hoekje een lange man op, die zich voorstelt als Jan Peters. Hij heeft een ruige baard en een snor en donkere, bijna zwarte ogen. Hij is een magere, slungelige man.
Ze had hem zich heel anders voorgesteld, ze merkt dat hij ook nerveus is. 'Ik ben Katja Verhoef.'
'Zullen we maar meteen tutoyeren?' vraagt hij deftig. Katja moet er stiekem om lachen.
'Vertel jij eerst of moet ik het doen?' gaat hij verder.

'Begin jij maar.'

'Het is een heel verhaal: Ik ben 45 jaar, heb veel meegemaakt in mijn leven. Mijn jeugd was niet vrolijk, mijn moeder stierf toen ik tien was en mijn vader was nooit thuis, die was altijd op reis voor de zaak.

Mijn broertje Theo en ik moesten naar een oom en tante, die vreselijk streng waren en hun eigen kinderen altijd voortrokken. Ik ben op mijn zestiende al uit huis gegaan, weggelopen eigenlijk. Ben bij de marine gegaan. Ik heb mijn tijd daar uitgediend, maar ik was blij dat ik daar weg was. Ik kreeg daarna werk bij dezelfde zaak waar mijn vader ook nog steeds werkte, ja, eerst op kantoor en later in de buitendienst.

Mijn vader was intussen weer getrouwd, maar ik had niks met die vrouw, gelukkig heb ik toen een tweekamerappartementje kunnen huren. Ik ontmoette al gauw een aardig meisje, ze heette Jenny, en we zouden gaan trouwen, maar een week voor die datum kwam ik er achter dat ze me al die tijd bedrogen had met een ander. Gelukkig net op tijd, er werd dus niet getrouwd. Maar alleen kon ik het ook niet vinden.'

De ober komt bij hun tafeltje staan: 'Wilt u nog iets drinken of zal ik u de kaart geven?' vraagt hij.

De kaart geven? Eten, dat is Jan helemaal niet van plan, dus vraagt hij aan Katja: 'Wil jij nog koffie of liever wat anders?'

'Koffie graag,' zegt Katja. 'Ga verder,' dringt ze aan, als de koffie voor hen staat.

'Zoals ik al zei: Alleen kon ik het ook niet vinden. Toen ben ik getrouwd met de zus van mijn beste vriend, Rosemarie, eigenlijk omdat ik niet alleen kon zijn. Ik mocht haar wel, en zij was gek op me, had al die tijd op me gewacht. We kochten een leuk huis en konden het best met elkaar vinden. Al gauw was ze zwanger en we kregen een zoon, die we David noemden, dat vond mijn vrouw een mooie naam. Een jaar daarna kregen we een tweeling, Peter en Tom en … Rosemarie stierf in het kraambed.'

Katja slaakt een kreet: 'Wat vreselijk, hoe lang is dat geleden?'

'Drie jaar, David is vier en de tweeling drie jaar. Ik zal je meteen maar bekennen dat ik wanhopig ben; ik kan niet voor drie kinderen zorgen, de ouders van Rosemarie en mijn schoonzussen hebben veel voor me gedaan, maar ik voel wel dat het niet langer gaat, dus … Sorry hoor, maar dit is eigenlijk een noodsprong, ik weet geen andere oplossing. Ik heb gehoord dat jij twee dochtertjes hebt …' Hij bijt op zijn lip, hij voelt aan dat hij het allemaal verkeerd aangepakt heeft.

'Je zoekt dus een onbetaalde huishoudster,' zegt Katja pinnig.

'Mmm, nee … ja,' stottert hij. 'Ik zeg het helemaal verkeerd, ik bedoel … ik zoek een lieve vrouw om mijn gezinnetje weer een beetje op de rails te krijgen, een moeder voor mijn kinderen, die de ene keer een poosje bij tante Tine zijn en daarna weer bij een ander, maar nooit met z'n drieën bij elkaar. Ik kom 's avonds in een leeg huis.'

Nooit van mijn leven, denkt Katja, ze had zich dit niet zo voorgesteld: de sloof te worden van een gezin. Drie jongens, klein nog; ze was juist zo blij dat Mirthe en Sifra naar school gingen. Maar ze wil hem dit niet zo hard zeggen.

'Dus zo zit dat,' besluit hij, 'en nu jouw verhaal.'

'Ik weet niet of dat nog veel zin heeft,' weifelt Katja.

'Ik weet nog niets van jou, dus …'

Hij voelt niet dat ik er helemaal geen zin in heb, denkt ze.

De ober is weer hun kant op gekomen. 'Zullen we een glas wijn nemen, of wil jij een pilsje?' vraagt Katja, die dorst gekregen heeft.

'Pils graag.'

'Ik droge witte wijn. Mijn verhaal is overigens gauw verteld. Ik ben gescheiden en heb twee dochters, een van bijna zes en een van vier. Ik werk bij de thuiszorg.'

'Dat is kort maar krachtig,' lacht hij. 'Ik zou je graag wat beter leren kennen.'

Doe daar maar geen moeite voor, denkt ze. Maar hoe moet ze hem dat zeggen? Dan neemt ze een besluit: 'Ik moet daar eerst over nadenken en nu wil ik graag naar huis.'

Als hij al teleurgesteld is, laat hij dat in ieder geval niet merken. 'Maken we meteen weer een afspraak?' dringt hij aan, maar Katja peinst er niet over. 'Dat zien we nog wel,' houdt ze de boot af. Ze neemt zich voor om hem een brief te schrijven zodra ze thuis is; ze denkt er niet over om op zijn voorstel in te gaan. Ze staat op en trekt haar jasje aan dat ze over de leuning van haar stoel had gehangen.

'Ik wou je nog wel zeggen,' zegt hij, terwijl hij ook opstaat, 'dat ik je een aardige meid vind en dat jij het vast voor mekaar krijgt om met mijn knulletjes om te gaan; leuk hoor met twee meisjes erbij.'

Katja krijgt kippenvel als ze eraan denkt. Ze rilt. 'Ja, het is hier nogal fris,' zegt hij, terwijl ze naar haar auto lopen. Hij heeft niet door waarom ik ril, schiet het door haar heen. Ze stapt vlug in, trekt het portier dicht en zwaait nog even naar hem. Daarna geeft ze gas en rijdt weg.

Zal ze al naar huis gaan? Het is nog geen half tien, Mandy zal haar nog niet verwachten. Ze besluit om nog even bij haar vriendin aan te gaan.

Het blijkt dat daar een oppas is, de familie is een avondje uit. 'Wie kan ik zeggen dat er geweest is?' vraagt het meisje. 'Nee, laat maar,' zegt Katja, 'ik bel morgen wel even.' Ze besluit om toch maar naar huis te gaan.

'Was het gezellig?' vraagt Mandy belangstellend, ze heeft geen flauw idee waar Katja geweest is.

Maar die brandt meteen los: 'Nee, vreselijk.'

Mandy kijkt haar verbaasd aan. Katja vertelt dat ze een ontmoeting gehad heeft, via het relatiebureau. 'Dan weet de goegemeente dat meteen ook maar,' voegt ze eraan toe.

Mandy is verontwaardigd. 'Ik vertel hier niemand iets van, als jij dat niet wilt.'

'Nee, zeg nog maar niks thuis, dit is toch niets geworden. Ik ben al blij dat ik een luisterend oor heb. Mandy, het was vreselijk, die man heeft drie jongens, de oudste is vier. Zijn vrouw is overleden en hij is op zoek naar een goedkope huishoudster, die bovendien nog lief is voor de kinderen. Net wat voor mij, zie je me al met vijf kinderen? De hele dag snotneuzen afvegen en poepbroeken opruimen. Dan kan ik beter in de thuiszorg blijven werken. Hij wilde meteen weer een afspraak, maar ik heb de boot af gehouden. Ik ga hem nu gelijk schrijven dat hij er niet op hoeft te rekenen. Als ze niks beters hebben op dat bureau …'

'Ik vind het wel heel zielig allemaal,' zegt Mandy peinzend. 'Had je er niet bij gezegd dat je een man zónder kinderen wilde?'

'Mmm. Ja. Of nee, ik heb gezegd: een gescheiden man of een weduwnaar. Weet ik veel, dat ze dan zo iemand op je dak sturen? Ik kan toch niet uit medelijden op zijn voorstel ingaan?'

'Misschien is de volgende man wel helemaal de ideale voor je, maar zeg dan op dat bureau dat je geen kinderen wil.'

'Er zal érgens toch wel iemand rondlopen met wie het wél klikt?' vraagt Katja zich af. 'Bedankt voor het oppassen, zijn ze lief naar bed gegaan?'

'Wat had je gedacht? Die kinderen gaan toch altijd gehoorzaam naar bed?'

'Dan moet je ze eens meemaken als ik alleen ben met hen. Liedjes van verlangen, eindeloos, ik word daar soms zo moe van.'

En dan ga jij snauwen en worden ze nog vervelender, denkt Mandy, maar dat zegt ze maar niet.

'Als je me weer nodig hebt, bel je me maar; als ik het van te

voren weet, dan kan het meestal wel.'
'Hoe zit dat, heb jij al een vriendje?' vraagt Katja.
'We hebben een heel grote vriendenkring van de kerk en we gaan gewoon gezellig met elkaar om, en ja, soms merk je opeens dat er een relatie aan het ontstaan is. Maar bij mij niet, ik wacht op de ware Jakob. Ik ga ervandoor, welterusten, zusje.'

Als Mandy thuiskomt, ligt haar moeder op de bank, maar ze staat meteen op. Bob, blij dat ze thuis is, springt tegen haar op. 'Hij moet nog uitgelaten, zeker? Was je moe? Blijf toch lekker liggen; heb je weer last van je buik?'
'Ach, een beetje, maar dat valt wel mee. Ja, Bob moet er nog uit.' De hond kwispelstaart als hij het woord 'uit' hoort.
'Ik doe het zo meteen wel.'
'Weet je wie er belde toen jij net weg was? Lennard. Hij kwam met een idee voor oma. Hij vroeg of ik vanavond tv gekeken had, nee dus. Lennard wel. Er was een reportage over een soort verpleeghuis, dat meer weg heeft van een zorgboerderij, het was in Drenthe. Het lijkt in alles meer op een gewoon woonhuis, er zijn aparte huiskamers met acht of tien bewoners, ze mogen hun eigen stoel meebrengen. Ze laten de mensen doen waar ze zelf zin in hebben: tuinieren, in huis helpen, met koken ook. Er zijn tuintjes bij en allerlei dieren: konijnen, katten, een hond. Dit is nog een proef, maar zeer binnenkort worden er meer van deze huizen gerealiseerd. Kleinschalig. Ook in Eindhoven, in Haarlem en Den Haag zijn ze bezig om iets dergelijks te realiseren. Lennard heeft gebeld met de Alzheimerstichting, daar heeft hij nog meer inlichtingen gekregen. Ze vertelden hem dat de mensen daar vaak enorm opknappen. Hij heeft ook gevraagd naar een adres van een zorgboerderij in de buurt. Hij heeft adressen gekregen. Het is echt de toekomst, zeiden ze. Maar of er ergens plaats is,

betwijfelden ze, er is veel vraag naar.'

'Mam, zou dat kunnen? Het zou geweldig zijn, maar zou oma daar nog wel op haar plaats zijn? Wil je trouwens een glas fris of een wijntje?'

'Neem jij een wijntje? Dan wil ik ook wel een glas. Of oma nog goed genoeg is voor zo'n boerderij zal bekeken moeten worden. Lijkt het jou niet geweldig?'

'Dat zou voor oma enig zijn, misschien mag haar poes dan ook mee. Want ze is onafscheidelijk van Minet. Ze is altijd zo gek op dieren. Het lijkt me wel wat. Wanneer zou Lennard iets meer weten? Want als ze nou vrijdag al naar het verpleeghuis gaat …?'

'Hij zou er morgen meteen opuit gaan. O ja, wat ik nog vergeet, op deze boerderij zijn eenpersoonskamers.'

'Wordt dit betaald, of is dit een particuliere instelling? In dat geval kan het wel heel duur zijn.'

'Het is beslist geen particuliere boerderij.'

'Waar hebben jullie het over?' vraagt vader Bert als hij binnen komt lopen. Dan vertelt Astrid weer het hele verhaal. Bert wil er ook van alles van weten.

'Bel Lennard dan, dan weet je meteen waar hij morgen heen gaat.'

Bert staat al bij de telefoon, maar kijkt dan op de klok, elf uur, kan dat nog?

'Doe maar, pap, ze gaan altijd laat naar bed en Lennard zit soms nog halve nachten achter zijn computer.'

Lennard neemt zelf de telefoon aan, en vertelt wat hij gehoord heeft over een zorgboerderij, geen gewoon verpleeghuis dus, waar zes ouderen of dementerenden op één kamer wonen, zonder privacy. Dit is helemaal nieuw. Hij stelt zijn vader voor om mee te gaan.

'Dat zal wel lukken, denk ik. Morgen eerst even naar mijn werk bellen.'

Ze spreken af hoe laat ze weg zullen gaan.

Bert kijkt opmerkzaam naar zijn vrouw als hij de telefoon neergelegd heeft: 'Wat is er, liefste? Heb je pijn?'

Astrid wil er niet over praten. 'Ik ben moe, het is al kwart over elf, ik ga naar bed.'

'Blijf morgen maar lekker liggen, mam, ik breng je ontbijtje boven en ik eet wel met pappa, dan kun je lekker uitrusten.'

'Lief van je Mandy, dat doe ik, en slaap lekker.'

Mandy laat Bob nog even uit en gaat daarna ook naar bed.

7

De volgende dag om acht uur komt Lennard zijn vader ophalen. Hij heeft een lijstje met namen van boerderijen waar ze willen gaan kijken. Hij heeft de route al uitgezocht. Ze beginnen dicht bij huis, want dat zou voor de bezoekers ook prettiger zijn.

Het eerste adres is net buiten de stad. Een oude boerderij met een groot erf eromheen. Het ziet er gezellig uit. In de tuin zijn mensen bezig.

Als ze naar binnen gaan en de directeur te spreken krijgen, horen ze hoe goed het gaat. Mensen die hun leven lang buiten gewoond hebben, boeren, tuinders, kunnen hier hun hart op halen. Er zijn ook allerlei dieren om te verzorgen: konijnen, geiten, kippen, een hond en een paar katten en zelfs een ezel. Verschillende mensen die daar wonen zijn opgeknapt na hun opname.

Ze maken een praatje met een man die bezig is onkruid te wieden.

'Dit is mooi, mooi … goed hier,' zegt hij en gaat door met schoffelen of zijn leven ervan afhangt.

Een vrouw in een rolstoel zit met een konijntje op haar schoot. 'Zacht, hè?' vraagt ze met pretoogjes.

Ze worden ook uitgenodigd om binnen een kijkje te nemen. Eén vrouw staat af te drogen en een ander zit aardappels te schillen. 'Helaas zitten we vol,' zegt de directeur, 'er is geen plaats. We hebben een lange wachtlijst.'

Bert en Lennard kijken elkaar aan, wat zou dit mooi geweest zijn. Als de directeur hun verslagen gezichten ziet, zegt hij: 'Aan de andere kant van de stad is een soortgelijke opvang voor dementerenden. Zal ik u het adres geven? En wilt u nog een kop koffie?' Dat doen ze maar niet, ze willen toch heel graag met resultaat thuis komen.

Dus rijden ze in tegengestelde richting en komen uit bij een nieuw gebouw. Het ziet er niet erg uitnodigend uit, maar dat kan vanbinnen meevallen. Degene die hen ontvangt, is nors en humeurig. De sfeer is er niet leuk. Er is wel een grote tuin bij, maar daarin wil bijna niemand werken, zegt de man die zich niet eens voorgesteld heeft. Hij vraagt direct wat ze komen doen en als Bert zegt dat zijn schoonmoeder dement is en dat ze een plaatsje voor haar zoeken, krijgt hij niet eens de gelegenheid om uit te spreken. 'Wij zitten vol en hebben een wachtlijst van hier tot Tokio,' zegt de man.

Ze vragen niet verder, draaien zich om, bedanken en zeggen vriendelijk 'Goedendag', waar ze niet eens antwoord op krijgen.

'Al was daar plaats zát geweest, voor geen duizend euro zou ik oma daar willen laten,' zegt Lennard. Bert is het roerend met hem eens. Wat nu?

Lennard raadpleegt zijn lijstje. 'Ik heb er hier een die me wel lijkt, maar dat is zeker dertig kilometer verder,' zegt hij.

'Laten we maar gaan kijken,' vindt Bert.

Dus gaan ze via de ringweg de snelweg op. Bij de afslag moeten ze naar links. Ze ontdekken net op tijd een oprijlaan met bomen, ze waren er al bijna voorbij. Maar dan zien ze het bord 'Boslust'. 'Originele naam,' zegt Lennard

Daar, om een bocht, staat een oud herenhuis, haast een klein kasteeltje. Ze kunnen het pas zien als ze dichterbij zijn. Later horen ze dat hier altijd een notaris gewoond heeft en dat het een oude havezate is.

Als ze uit de auto stappen, horen ze al hanengekraai en gemekker van geitjes. Een hond komt hen kwispelstaartend tegemoet. 'Zo, we zijn welkom.'

Ja, dat zijn ze zeker, een man met een rollator vraagt bij wie ze zijn moeten. Hij neemt hen mee naar de receptie, het meisje achter de balie zegt dat ze meneer Willems zal roepen. Ze krijgen een stoel aangeboden en moeten even wachten tot de directeur er is.

Even later komt een vriendelijke vijftiger, vroeg grijs en met een innemend gezicht, met uitgestoken hand naar hen toe. Hij vraagt wat hij voor hen doen kan.

Als ze verteld hebben waar ze voor komen, krabt hij zich bedenkelijk achter het oor. 'Zal ik u eerst laten zien hoe we hier werken?' vraagt hij. Hij neemt hen mee.

Aan een tafel in een huiskamer zit een aantal bejaarden een spelletje te doen. In de tuin zijn mannen bezig, een paar vrouwen zitten in het zonnetje. Een poes loopt om hen heen kopjes te geven.

Ja, wel mooi allemaal, denkt Bert, maar straks zegt hij: Dit is het, maar we hebben een lange wachtlijst. Het lijkt hun allebei prachtig. Er is een lift: boven zijn eenpersoonskamers waarin ze even om een hoekje mogen kijken.

'Wat denkt u hiervan?' vraagt de directeur.

'Het lijkt ons geweldig, maar ... zeker geen plaats?'

'Op dit moment niet, maar we gaan nu even naar buiten, daar kunt u nog iets anders zien.

Het blijkt dat daar een nieuw gebouw verrijst.

'Kijk, dit hebben we allang in ons hoofd, nu worden hier nog zes units gerealiseerd. Ik heb er nog één die nog vrij is, dus zou uw moeder, oma, hier kunnen wonen, maar u ziet wel dat het nog niet klaar is, dat duurt nog wel een paar maanden.'

Ze kijken hun ogen uit. Er is een soort patio waaromheen zes woninkjes gebouwd worden.

'Als alles klaar is, komt er een glazen gang van het oude naar het nieuwe gebouw. Alle kamers hebben een eigen toilet en douche, er komt hier ook een aparte keuken.'

Bert en Lennard kijken elkaar aan, ze denken hetzelfde: Wat zou dit een prachtige oplossing zijn, maar dan moeten ze voor

die tussenliggende maanden wel iets vinden, want in haar aanleunwoning gaat het echt niet langer. Toch zeggen ze als uit één mond: 'We zouden er geweldig blij mee zijn. Zou haar poes hier ook welkom zijn?'
Meneer Willems lacht breed: 'Dat is geen enkel probleem.'
'Zou u mijn naam en adres op willen schrijven? vraagt Bert. Het is te mooi om waar te zijn, maar we moeten wel een oplossing vinden om deze tijd te overbruggen.'

Alles wordt geregeld en op de terugweg zijn ze opgetogen. Maar hoe moeten ze die drie of vier maanden overbruggen? Oma zou dan tweemaal moeten verhuizen, dat is voor een dementerende ook niet ideaal. Nog daargelaten of ze iets anders voor haar vinden kunnen.
Die oplossing blijkt er eerder te zijn dan ze verwachtten, want het is mogelijk dat oma in het verzorgingshuis zolang op een ziekenkamer mag.
Bert en Astrid hebben alles uitgebreid verteld aan oma, ze lachte toen hij vertelde van de lammetjes en de konijnen. Ze was heel goed bij de tijd op dat moment, want ze zei: 'Daar ga ik wonen en Minet mag ook mee.'
Bert probeerde haar duidelijk te maken dat ze eerst nog een poosje naar het verzorgingshuis moest, maar dat drong niet meer tot haar door, zachtjes neuriede ze: 'Schaapje, schaapje, heb je witte wol.'
Toen ze bij haar weggingen, zag ze er erg tevreden uit, zo hadden ze haar de laatste maanden niet meer gezien.

Katja heeft haar volgende afspraak; de kinderen zijn een paar dagen bij Hugo, omdat ze vakantie hebben.
Ze heeft de gegevens doorgekregen van het bureau, deze keer is het een vrijgezel van 32 jaar.
Als Katja hem ziet zitten in het restaurant, denkt ze: Die man

ken ik ergens van, maar ze kan er zo gauw niet achter komen wáár ze hem van kennen moet.

Hoffelijk staat hij op: 'Katja Verhoef? Ik ben Jan Willem Veenendaal. Leuk dat je gekomen ben, ik mag wel Katja zeggen? Wat wil je drinken? Koffie of thee, of iets anders?'

'Graag koffie,' ze weet nog steeds niet waar ze hem van kent, hij heeft blijkbaar niets bekends aan háár gezien.

'Daar zitten we dan, allebei op zicht,' zegt hij met een grimas. 'Ze hebben hier heerlijk warm appelgebak, zin in?'

'Mmm. Ja, lekker.'

Ze kijken elkaar aan zonder iets te zeggen. Ze genieten van de koffie en het gebak en kijken elkaar weer aan.

'Wat is er?' vraagt Katja dan maar, ze moeten toch érgens over beginnen.

'Het is net of ik je ergens van ken,' zegt hij bedachtzaam.

'Dat dacht ik ook al toen ik binnenkwam en je zag zitten.'

Dan gaat hem een lichtje op. 'In groep zes bij meester De Hoed op de Elout van Soeterwoudeschool? Klopt dat?'

'Ja, dát is het, jij was dat verlegen jongetje op de eerste rij, je was toen pas bij ons op school gekomen.'

'Wij kwamen uit Groningen, mijn vader ging hier werken. Jij zat achteraan, je had lange, blonde vlechten. Ik heb je in stilte erg bewonderd, weet je dat?'

'Héél erg in stilte dan,' lacht Katja, 'want ik heb er nooit iets van gemerkt.'

'Ik durfde nooit tegen je te praten, daar was ik veel te verlegen voor, en die knullen van groep acht zwierven altijd om je heen. Bovendien vond iedereen dat ik maar een raar taaltje sprak.'

'Die knullen, daar kon ik niets aan doen. Die taal, ja, daar moesten we stiekem om lachen.'

'Je hoeft je niet te verdedigen, maar wat doe je nu hier?'

'Ik denk hetzelfde waarom jij hier bent. Ik ben gescheiden en zoek een leuke man, ik vind dat alleen-zijn vreselijk. En jij dan? Je bent toch ook op zoek?'

Hij blijkt nog steeds wat verlegen te zijn. 'Ik wil zo graag een vrouw en ik kom nergens waar ik meisjes of vrouwen van mijn leeftijd ontmoet, daarom ben ik naar het relatiebureau gestapt.'

'Hoe is jouw leven verlopen? Van het bureau kreeg ik te horen dat je vrijgezel bent, wil je daar wat over vertellen?'

'Dat is gauw gedaan. Ik heb een poosje een vriendin gehad, maar mijn moeder was er erg op tegen en ik vond Risje wel leuk, maar was niet echt verliefd op haar, dus toen heb ik er meteen een punt achter gezet. Mijn vader is dood, allang, ik woon dus nog bij mijn moeder. Ik heb een broer en een zus, een stuk ouder dan ik en al jaren getrouwd. Dat is mijn verhaal, nu jij.'

'Ik ben gescheiden, heb tegenwoordig een redelijke verstandhouding met mijn ex. We kunnen samen over de kinderen praten. We hebben twee meisjes, zes en bijna vijf jaar. Mirthe en Sifra heten ze.'

'Heeft jouw man voor een ander gekozen?'

Katja krijgt een kleur. Het ontgaat Jan Willem niet.

Wat aarzelend zegt ze: 'Nee, ik eh … geloof dat ik de meeste schuld heb aan die scheiding. Ik zal het je meteen vertellen, dan weet je het maar, als je dan geen zin hebt om verder te gaan met me, dan kan ik het begrijpen. Ik zal me niet mooier voordoen dan ik ben. Ik ben wispelturig en jaloers, ik wil dat nooit toegeven, maar ik weet het zelf wel. Sta maar op en ga maar weg … Laten we er maar niet aan beginnen.'

Jan Willem is verbijsterd over haar verhaal, hij heeft in eerste instantie inderdaad de neiging om op te staan en weg te lopen. Maar er is iets wat hem tegenhoudt. Hij kijkt haar nog eens goed aan. Ze zal toch ook haar goéde kanten hebben? En wat hij haar vraagt, is iets heel anders: 'Is er een reden dat je je bij een christelijk relatiebureau hebt laten inschrijven?'

Katja kijkt naar beneden, ze vouwt haar handen zo stevig in elkaar dat haar knokkels wit worden. Ze durft hem niet aan te kijken.

'Ik heb een christelijke opvoeding gehad. Ik heb er niet zo veel meer mee, maar toch nog wel genoeg dat ik met iemand verder wil die nog bij een kerk hoort, of nee, die nog gelovig is. Mijn kinderen gaan op een christelijke school, mijn zusje leest hun verhalen uit de kinderbijbel voor, en als ze bij hun vader zijn, neemt hij hen mee naar de kerk.'

'Vertel eens wat over je kinderen?'

Als Katje antwoorden wil, komt de ober naar hen toe met de vraag of zij, Katja, mevrouw Verhoef is.

Er is telefoon voor haar.

Ze loopt achter de ober aan en denkt: Wie weet nu dat ik hier ben? Mandy, is er iets met de kinderen?

Als ze zich gemeld heeft, schrikt ze zichtbaar en wordt spierwit. Met 'Ja, ik kom,' legt ze de telefoon neer. Het lijkt wel of ze vergeten is dat Jan Willem daar nog zit. Hij komt haar tegemoet. Verwilderd kijkt ze hem aan. 'Ik moet meteen naar … mijn moeder … in het ziekenhuis.' Ze staat op en wil zo weggaan.

'Wacht even,' zegt hij, 'je kunt zo niet rijden. Ik breng je wel, je auto staat toch goed geparkeerd? Dan komt dat later wel.'

Hij gooit achteloos een paar briefjes van tien euro neer, zich geen tijd gunnend om af te rekenen.

Jan Willem pakt haar arm. Willoos laat ze zich meenemen.

'Welk ziekenhuis?' vraagt hij als ze ingestapt zijn.

'Het Stadsziekenhuis. Ik begrijp het niet, mam in het ziekenhuis, het is ernstig, zei mijn zusje. Of ik zo gauw mogelijk wou komen. Iets van een darmafsluiting. Ik heb het niet precies in me opgenomen. Ik schrok me naar. Mam, die altijd zo gezond is. Ik begrijp het niet, hoe kan dat nu zo ineens?' ratelt ze nu achter elkaar.

Hij legt beschermend een hand op Katja's knie, en probeert haar te troosten: 'Misschien valt het allemaal nog mee; je bent zo in het ziekenhuis en dan weet je meer. Katja, mag ik je telefoonnummer? Ik wil heel graag weten hoe het met je moeder gaat. En we waren nog niet uitgepraat, maar daar wil ik het nu niet over hebben. Kijk eens, we zijn er al.'

'Dank je, zet me hier maar af, ik vind het verder wel.'

'Heel veel sterkte en, Katja, ik zal voor jou en voor je moeder bidden.'

Daar schiet ze dan toch vol van.

In de grote hal van het ziekenhuis blijft ze aarzelend staan, waar moet ze haar moeder zoeken? Opeens is daar een arm om haar heen, Lennard en Iemke. 'Kom maar mee, mam ligt op kamer 905, ik heb het net gevraagd.'

Ze stappen in de lift en suizen naar boven. 'Weten jullie wat er is met mam?' vraagt Katja.

'Niet precies. Mandy belde dat mam erge pijn in haar buik had. Pa heeft de dokter gebeld en toen die zag wat er aan de hand was heeft hij meteen een ambulance gebeld. Die was er gauw; verder weet ik niets.'

'Mandy zei tegen mij dat mam een darmafsluiting heeft, zoiets, ik kon het niet goed verstaan.'

Ze staan voor de deur van de kamer waar hun moeder ligt, Mandy komt er net uit. 'Heerlijk dat jullie er zijn, mam is al naar de operatiekamer, er was haast bij. Kom maar mee. Pappa zit in de koffiekamer te wachten, op van de zenuwen natuurlijk.'

Bert is blij als hij al zijn kinderen ziet. Hij begint meteen te praten: 'Toen ik vanavond van mijn werk kwam, lag mam op de bank te kreunen van de pijn. Ik schrok en zei dat ik de dokter ging bellen, maar dat mocht niet, ze zei dat het wel over zou gaan. We hebben nog een uur gewacht, maar het werd steeds erger. Ik belde de dokter. Het was een vreemde, de avonddienst was ingegaan. Hij hoefde maar even te kijken toen wist hij het. "Darmafsluiting, onmiddellijk naar 't ziekenhuis." Hij belde zelf de ambulance, en hier stond alles klaar voor de operatie.'

Nu is het gedaan met zijn flinkheid, hij kan geen woord meer zeggen en hij heeft een zakdoek nodig om zijn gezicht droog te wrijven. Zelfs nu nog wil hij de kinderen niet laten zien hoe geëmotioneerd hij is.

Mandy slaat een arm om hem heen. Katja gaat aan de andere kant dicht naast hem zitten. Lennard en Iemke houden elkaars hand vast. 'Zei die dokter nog wat, of de dokter hier in het ziekenhuis?'

'Ze zeiden hier dat het een grote operatie is en dat de toestand van mam ernstig is. Nu moeten we afwachten.'

Mandy zegt zacht en verlegen: 'Zullen we met elkaar bidden voor mam?'

Lennard denkt dat het misschien kan helpen, alleen al om hen rustig te maken. Het doet Katja wel wat, maar beschaamd denkt ze dat ze in nood wél bidden wil, nu ze God nodig heeft. Het is een heilig moment in deze kamer. Stamelend vragen ze om beterschap. Om de handen van de chirurg te zegenen. Juist als Bert 'amen' zegt, gaat de deur open, er komt een verpleegkundige binnen die vraagt of ze allemaal koffie willen. Die krijgen ze even later.

Iemke vraagt aan Katja: 'Waar zijn jouw kinderen?'

'Ze slapen bij Hugo, en Bas en Lobke dan?'

'Mijn buurvrouw, waar ik altijd van op aan kan, zit in mijn huis, de kinderen waren net naar bed. Als ze wakker worden, is het vertrouwd voor ze. Ze kennen haar goed en spelen wel eens bij haar.'

Daarna wordt het wachten, uur na uur. Bert heeft gezegd dat ze best naar huis mogen, dat hij wel zal bellen als hij iets weet, maar daar willen ze geen van allen van horen.

'Nee, pap, we blijven hier wachten,' zeggen ze allemaal. Iemke gaat op de gang even naar huis bellen, om te vragen of de buurvrouw wil blijven slapen. Deze verzekert haar dat het goed gegaan is en dat ze wel in het logeerbed zal kruipen. Ze wenst hun allemaal veel sterkte.

Het wachten duurt lang, eerst praten ze nog wat, maar daarna wordt het stil wachten. Katja en Lennard zitten een beetje onderuitgezakt en soezen wat weg. Hoe langer het duurt, hoe meer Bert zachtjes tegen Mandy zijn ongerustheid uit spreekt. Ze slaat haar arm om hem heen: 'Arme pap, denk nog eens aan wat we gebeden hebben.'

Mandy krijgt een klopje op haar hand en Bert zegt, met nauwelijks bedwongen emotie: 'Je hebt helemaal gelijk, meisje.'

En dan, eindelijk, gaat de deur weer open en komt de chirurg binnen: 'Ik heb goed nieuws,' zegt hij. 'De operatie is goed verlopen, maar we moeten wel op het verdere herstel wachten.'

Ze vragen aan de dokter om meer details, maar hij zegt: 'Dat hoort u nog wel. U kunt nu rustig naar huis gaan.'

Bert vraagt of hij even bij Astrid om het hoekje mag kijken. 'Dat mag wel, maar u moet niet schrikken, want ze ligt aan allerlei apparaten en ze wordt beademd. Ze is nog steeds onder narcose.'

Mandy loopt zover mee. Bert ziet Astrid daar liggen, lijkbleek en inderdaad aan allerlei apparaten, met allemaal bliebjes en gesis.

Heel voorzichtig drukt hij een kus op haar voorhoofd.

De dagen die volgen, verlopen vol spanning, de ene dag is Astrid wat beter en de volgende dag zijn er complicaties.

Maar heel langzaam gaat het vooruit. Wel wordt ze nog steeds kunstmatig in slaap gehouden.

Jan Willem heeft inderdaad de volgende morgen Katja gebeld om te vragen hoe het gegaan is.

'Kunnen we al een nieuwe afspraak maken, of wil je liever wachten tot je moeder wat beter is?'

Ze spreken af dat ze elkaar donderdag over een week weer zullen ontmoeten, op dezelfde plaats. 'En als er iets is, zul je me dan bellen? Kan ik iets voor je doen?'

'Op het ogenblik niet, maar dank je voor je aanbod.'

Na een paar dagen belt Mandy. Ze vertelt dat het naar omstandigheden aardig goed gaat, dat mam bij is uit de narcose, maar nog niet kan praten vanwege het beademingsapparaat. De dokter is tevreden. Er valt een last van Katja af.

Hugo komt Mirthe en Sifra thuisbrengen en vraagt bezorgd hoe het met haar moeder is. Ze is blij dat ze het goede bericht doorgeven kan. 'Weet je tante Anneke het wel?' vraagt hij bezorgd.

Katja slaat haar hand voor haar mond: 'Heb ik niet aan gedacht, ik bel Mandy nog wel even. Zijn de meisjes lief geweest? Kom, jullie moeten gauw naar school en ik naar mijn werk.'

'Zal ik ze brengen? Dan hoef jij je niet zo te haasten.'

'Graag,' zegt ze, met een dankbare blik in haar ogen.

Astrid is nog wat in de war, hoe komt ze hier, waar is ze? Even schemert het, daarna zakt ze weer weg.

Bert komt nog even kijken voordat hij naar zijn werk gaat. Hij had een paar dagen vrij willen nemen, maar de hele dag doelloos rondlopen trok hem niet, bovendien kan hij de dagen beter bewaren voor als Astrid uit het ziekenhuis komt. Met schrik heeft hij gereageerd toen Mandy hem vroeg of Anneke het al wist. Nee dus.

Hij gaat meteen bij haar langs als hij uit het ziekenhuis komt.

's Zondags wordt er voor Astrid gebeden in de kerk.
Na een paar spannende dagen gaat ze zienderogen vooruit. Ze is een paar keer uit bed geweest, ze eet weer wat en dat kan ze goed verdragen. Ze zijn allemaal blij en opgelucht. Maar na een paar dagen vraagt de dokter aan Astrid wanneer haar man komt. Hij wil een gesprek met hen allebei. Astrid antwoordt dat hij vanmiddag op het bezoekuur komt. De dokter knikt, zegt verder niets en gaat verder met zijn ronde.
Astrid verbaast zich erover; wat zou dat te betekenen hebben? Als ze naar huis mag, zal haar dat gewoon meegedeeld worden, veronderstelt zij. Ze maakt zich zorgen, wat kan er zijn dat hij zo nadrukkelijk naar Bert vraagt? Ze piekert. Het ging toch goed allemaal? Ze pakt een tijdschrift maar ze snapt niets van wat ze leest.
Het wordt niks met haar middagslaapje, zo ligt ze te tobben.
Als Bert komt, vraagt de zuster of ze even mee willen gaan naar een kamertje waar niemand hen storen kan. Astrid voorvoelt dat dit niets goeds betekent. Als ze even later samen daar zitten, komt een verpleegkundige vragen of ze koffie of thee willen. Ze vinden het allebei vreemd.
Even later arriveert de dokter. Hij trekt een stoel bij, en de koffie wordt gebracht. Dan vraagt hij: 'Mevrouw Verhoef, hoe voelt u zich?'
Astrid zegt dat het elke dag een beetje beter gaat. De dokter knikt en zegt dat ze tegen het eind van de week naar huis mag, als er niets bijzonders tussen komt.
De dokter roert aandachtig in zijn kopje, terwijl Astrid en Bert zeggen dat ze daar heel blij mee zijn.
'Heeft u hulp genoeg in huis? Want u mag de eerste tijd niets, maar dan ook écht niets doen, en ik weet hoe huisvrou-

wen zijn,' zegt hij met een scheef lachje.

Bert zegt dat er hulp genoeg is, Anneke komt een paar weken bij hen in huis, Mandy helpt buiten haar werkuren om en hij heeft zelf vrije dagen genoeg om thuis te kunnen zijn.

'Mooi, dat is dus geregeld,' zegt de dokter, terwijl hij zich over zijn grijze kuif strijkt.

'Wat ik u verder nog mee moet delen, is niet zo prettig,' vervolgt hij bedachtzaam. Hij tekent met zijn vingers de ruitjes van het tafelkleed na. Hij kijkt hen niet aan, al zijn aandacht is bij de lijntjes van het kleed.

Geschrokken kijken Astrid en Bert hem vragend aan.

Met een ruk gaat zijn hoofd omhoog en hij kijkt hen een voor een aan.

'De operatie is goed gelukt, u herstelt snel, maar …We hebben een gezwelletje moeten verwijderen, dat hebben we op kweek gezet en het blijkt dat het kwaadaardig is. Maar,' haast hij zich te zeggen, 'het was een klein gezwel en we hebben verder geen uitzaaiingen gevonden. Toch vinden we dat u, als u wat sterker bent, een aantal bestralingen moet hebben. Voor alle zekerheid, want voor zover we nu kunnen zien, is alles goed.'

Ze zijn alle twee sprakeloos. Dít hadden ze zeker niet verwacht.

'U hoeft zich geen ernstige zorgen te maken. Ik begrijp dat het u overvalt, maar hoogstwaarschijnlijk blijft alles goed gaan.'

Dan beginnen ze allebei tegelijk te praten en houden tegelijk weer hun mond. 'Ik begrijp dat u vol vragen zit, maar u kunt beter zaterdag naar huis gaan en alles laten bezinken, dan kunt u rustig uw vragen op een rijtje zetten, dan praten we daar later met elkaar over. Zullen we het zo afspreken? Ik wens u algehele beterschap en veel sterkte. Ik ga nu met vakantie. Daarna kunnen we waarschijnlijk met de bestralingen beginnen en kunt u uw vragen aan mij voorleggen.'

Ze wensen de dokter een prettige vakantie en zitten daarna verslagen bij elkaar. Wie had dat nu kunnen denken?

Astrid legt haar hand op Berts arm. ''t Zal allemaal best meevallen,' zegt ze, een beetje bibberig; ze weet hoe gauw Bert zich zorgen maakt.

Bert knikt somber: 'Alles wat ik verwacht had, maar dit niet.' Hij haalt zijn zakdoek uit zijn zak, wrijft over zijn ogen en snuit luidruchtig zijn neus.

'Ik wou dat je nu meteen mee naar huis mocht, ik wil je hier niet alleen achterlaten,' zegt hij. Hij neemt haar in zijn armen en zo zitten ze woordeloos tegen elkaar aan.

Wat later loopt hij met haar mee naar de zaal en zegt: 'Ga nu eerst maar liggen en probeer je te ontspannen. We mogen ook dít in Gods handen leggen.'

'Ga nu maar naar huis, zul je niet zo erg tobben?'

8

Mandy staat Bert al op te wachten thuis. Aan zijn gezicht ziet ze meteen dat er iets mis is. 'Kom pap, vertel gauw, wat is er?'

Als Bert zijn verhaal gedaan heeft, zitten ze verslagen bij elkaar. Maar niet lang. Want Mandy, praktisch als altijd, zegt: 'We hoeven toch niet meteen het ergste te denken, misschien wordt mam van die bestralingen wel helemaal beter. Zal ik vragen of ik onbetaald verlof kan krijgen? Dan kan ik hier thuis voor mam zorgen en met haar mee gaan naar het ziekenhuis voor de bestralingen. Want dit alles is te veel en te zwaar voor tante Anneke.'

'Denk je dat dat zou kunnen? Dat zou een geweldige oplossing zijn.'

'Ik ga meteen bellen naar Riet, en vragen of het kan.' Mandy werkt op een kinderdagverblijf.

Riet is een en al meelevendheid en zegt het even te bekijken, maar ze denkt dat het wel kan, ze zijn net twee nieuwe verzorgsters aan het inwerken. 'Ik hoor het morgen wel, neem ik aan?'

'Zo pap, dat is geregeld. Ik heb ook nieuws: ik kreeg een telefoontje van 'Boslust', ze zijn bijna klaar met de nieuwbouw en oma zou er over een paar weken naartoe kunnen verhuizen.'

'Ah, dat is goed nieuws, oma begint er zelf telkens over. Ze vergeet alles, maar dit heeft ze goed onthouden, en ze heeft het alsmaar over die dieren daar … Ik ben heel blij.'

Heel blij, denkt hij, hoe kan dat? Ik ben helemaal niet blij, ik ben zo geschokt, Astrid, mijn liefste, kanker. Maar toch ook heel blij omdat oma naar de zorgboerderij mag.

Astrid is op bed gaan liggen, gelukkig is haar kamergenote met haar bezoek naar de koffiekamer, zodat ze even alleen kan zijn met haar gedachten. Heeft ze hier ooit rekening mee gehouden, al die tijd dat ze zo'n last van haar buik had? Ja, bekent ze zichzelf, daarom heeft ze er nooit over willen praten met Bert, omdat hij alles altijd zo somber inziet. Nu, na deze operatie, heeft ze opgelucht gedacht: geen kanker en nu ... toch! Ze is 56 jaar, maar ze voelt zich nog zo jong. Bert, haar kinderen en kleinkinderen ... ja dan komen eindelijk de tranen. Ze wil ze niet missen, haar liefsten, ze heeft nog zoveel plannen. Maar meteen daarna – Astrid ten voeten uit – zegt ze tegen zichzelf: Die tranen zijn alleen omdat ik nog zwak ben na de operatie, maar ik heb het van de dokter gehoord: nu is alles weggehaald, na die bestralingen is het misschien helemáál weg. Laat ik eerst maar eens vechten om beter te worden. Ze zendt een stil gebed op: Heer, help me.

Bert heeft Lennard gebeld en hem gevraagd of Iemke en hij die avond willen komen. Mandy belde naar Katja. Zij komt ook een poosje. Bert wil met alle kinderen en met tante Anneke tegelijk praten over Astrid en daarbij ook over het goede nieuws voor oma.
Ze schrikken er allemaal van, maar Lennard zegt: 'Pa, als ik het goed begrepen heb, gaat het met mam heel goed, ze herstelt vlug van de operatie, het gezwelletje is weggehaald, die bestralingen zijn wel vervelend en vermoeiend, maar onze flinke moeder kennend zal ze ervoor vechten om hier door te komen. En daarbij, jullie bidden toch allemaal voor haar, je kunt nooit weten of dat wat uithaalt.'
'Hè, Lennard ... Kun je dat niet anders zeggen?' vraagt Iemke zacht. 'Wij gelóven allemaal dat het wat uithaalt zoals jij zegt, wij geloven dat God onze gebeden verhoort.'
Liefdevol kijkt Bert naar zijn schoondochter. 'Weet je zeker dat mam zaterdag thuiskomt?' vraagt Katja.
'Op het avondbezoekuur zei mam dat de andere chirurg

geweest was die haar geopereerd heeft, en hij beloofde dat ze inderdaad zaterdag naar huis mag,' zegt Mandy. 'Mam vond het ook fijn dat het voor oma geregeld was. Ik kom een paar weekjes thuis, ik heb onbetaald verlof. Daar was mam ook heel blij mee. Ik vond haar heel flink, opgewekt eigenlijk, dus, pap, probeer jij nu ook een beetje uit de put te kruipen.'

Bert lacht een scheef lachje. 'Je moeder ziet alles van de optimistische kant, ik ben een geboren zwartkijker. Ik zal zo blij zijn als ze weer thuis is.'

'Dan vullen jullie elkaar goed aan,' vindt Mandy.

'Ben ik eigenlijk nog wel nodig, hier in huis?' vraagt Anneke. Mandy werpt haar een liefdevolle blik toe. 'Ik zal het druk genoeg hebben. Het huishouden, mam verzorgen, Mirthe en Sifra halen en brengen, alle klusjes die mam altijd deed. En we hebben gehoord dat ze niets, maar dan ook niets doen mag. Dus hebben we je hard nodig en mam zal het ook heel gezellig vinden.'

Iemke zegt: 'Wat goed dat voor oma's kamer de vloerbedekking en gordijnen al gekocht zijn, we moesten een seintje geven als het zover was, dan zouden zij het allemaal neerleggen en ophangen. We moeten proberen om haar kamer er net zo te laten uitzien als het nu is, dan zal ze zich het snelst thuis voelen.'

'Wat praktisch van jou,' zegt Katja bewonderend, 'ik zou daar nooit aan gedacht hebben.'

'Ik help wel om haar spullen te verhuizen,' laat Lennard zich horen.

'Zo te zien komt het allemaal best voor elkaar, als ze nu zelf maar niet tegenstribbelt als het zover is,' piekert Bert alweer.

'Ik ga wel mee, met verhuizen,' zegt Anneke. 'Ze wil met mij altijd graag mee.'

Die zaterdag is het een blijde thuiskomst voor Astrid. Overal staan bloemen, het huis geurt naar koffie en appeltaart, het is echt feestelijk.

Bob komt haar kwispelstaartend tegemoet. 'Dag brave hond,' zegt Astrid, terwijl ze hem tussen zijn oren kriebelt,' 'heb jij het vrouwtje zo gemist?'

Het beest weet van blijdschap niet wat hij doen moet, maar legt zijn kop dan op haar knie. Hij wil haar likken en kijkt haar met zijn mooie, trouwe hondenogen aan. 'Ja, ik heb jou ook gemist, maar likken hoeft niet.'

Astrid is blij weer thuis te zijn.

Mandy heeft nog geopperd om oma te halen, maar tante Anneke vond het niet zo'n goed idee. 'Het is hier zo'n drukte, ze raakt helemaal van slag van al het ongewone.'

'Heeft ze nog naar me gevraagd, hoe het met me ging, miste ze me nog, of is het niet tot haar doorgedrongen dat ik in het ziekenhuis lag?'

'We geloven niet dat ze je gemist heeft, een enkele keer zei ze Astrid tegen me,' zegt Anneke. Astrid straalt, maar ze is zo moe …

Bert zegt bezorgd: 'Je moet naar je bed, liefste, ik zie je wit weg trekken van al die drukte.'

Ze is blij als ze even later ligt, heerlijk, in haar eigen bed. 'Dank u Heer' zucht ze en dan is ze meteen in slaap.

Het blijft goed gaan met Astrid; elke dag voelt ze zich wat sterker en wat beter. De bestralingen zijn na de vakantie van de dokter begonnen; ze is daar wel moe van, maar tot nog toe is het haar meegevallen.

Elke dag gaat ze wel even een rondje lopen en dan mag Bob mee. Elke dag loopt ze een stukje verder.

Eindelijk hebben Katja en Jan Willem weer een afspraak. Hij

heeft haar geregeld opgebeld om te vragen hoe het met haar moeder was.

Vanavond zullen ze elkaar weer ontmoeten, in hetzelfde, intieme restaurantje van de vorige keer.

Ze is de hele dag druk en ongedurig geweest. Hoe zou het zijn, vanavond? Stelt ze zich er niet te veel van voor? Maar als ze denkt aan die warme, hartelijke stem, die ze van de telefoon al zo goed kent, stroomt er een blij gevoel door haar heen.

Hij is er al als zij binnenkomt; zit aan hetzelfde tafeltje als vorige keer.

Hij staat op, pakt haar korte jasje aan, hangt het weg en neemt dan haar hand in zijn beide handen. 'Fijn dat je er bent.' Hij trekt een stoel onder het tafeltje vandaan en laat haar plaatsnemen.

'Hoe gaat het nu met je moeder?' is zijn eerste vraag.

'Heel goed, we zijn allemaal zo blij, ze is elke dag iets sterker.'

'Wil je koffie, of liever iets eten?'

'Geef mij maar koffie, ik heb thuis al gegeten, met de kinderen.'

'Heb je oppas? Waar zijn ze nu?'

'Ik heb fijne buren, we hebben een babyfoon, dus ik kan met een gerust hart weggaan.'

'Vertel eens wat over je kinderen? Je was er vorige keer net over begonnen, toen je weggeroepen werd.'

'Ik zei al dat ik twee meisjes heb, bijna vijf en zes jaar. Leuke meiden om te zien, maar soms heb ik moeite met hen. Ze zijn veel liever bij hun vader dan bij mij, ik bedoel dat ze zich daar anders gedragen, gehoorzaam en zo; bij mijn ouders trouwens ook.'

'En daar is Katja jaloers op?'

Met een ruk heft ze haar hoofd op om hem aan te kijken, hij heeft haar al griezelig goed door, ze wil het zichzelf nog maar amper bekennen. Ze geeft geen antwoord, maar speelt met haar tasje dat op tafel ligt.

Jan Willem kijkt haar aan. Ze knikt, nauwelijks merkbaar. Ze realiseert zich nu voor het eerst dat het jaloezie is.

'Heb je redenen om jaloers te zijn?'

Ze barst opeens uit: 'Kijk, dat is nou mijn hele leven. Ik zeg altijd dat ik niét jaloers ben, dat heb ik zelf ook lang gedacht. Maar iedereen vindt anderen altijd liever, aardiger en hartelijker dan mij. Thuis ook. Lennard was de knappe kop, pappa's trots, en Mandy was hun lieve, schattige dochtertje, maar Katja, die was niet in tel, die was kattig en vinnig.

Toen Hugo, mijn ex, bij ons over de vloer kwam, was iedereen verrukt van hem.

Hij was rustig, vriendelijk, begrijpend en ja, ik was stapel op hem, maar kon niet hebben dat de anderen hem zo aardig vonden. En nu ben ik jaloers op mijn eigen kinderen. Bah. Ik heb soms een hekel aan mezelf. Daar is mijn huwelijk ook aan onderdoor gegaan. Zeg nu maar tegen me dat het leuk is dat we kennis gemaakt hebben en hoepel dan maar gauw op, want met zo'n mens kun je niét leven.'

Hij legt een hand op haar arm en zegt: 'Ten eerste maak je jezelf veel zwarter dan je bent en ten tweede ken je je karakter zo goed, dus dan kun je er ook aan werken om er verbetering in aan te brengen, als je dat wilt, tenminste.'

'Dus je loopt niet meteen weg?' vraagt ze verbaasd.

Hij lacht, neemt een slokje koffie en terwijl hij zijn kopje neerzet, zegt hij: 'Het lijkt me interessant om de echte Katja te leren kennen.'

Ze wil van dat onderwerp af en vraagt: 'Vertel nu eens iets over jezelf, ik weet van jou helemaal niets.'

'Wil je nog koffie, een glas wijn, of iets fris misschien? Daarna zal ik wat over mezelf vertellen.'

'Een glas cola graag, ik heb een droge keel van het praten.'

Hij bestelt cola en een pilsje en als dat voor hen staat, zegt hij: 'Proost,' waarna hij met hij zijn verhaal begint.

'Mijn leven was niet zo bijzonder tot nu toe. Ik heb fijne ouders gehad, mijn vader is overleden, daar heb ik veel verdriet van gehad. Maar dat had ik je al verteld.

Ik kom uit wat je noemt een warm nest. Ik heb een broer en een zusje. Ze zijn alle twee getrouwd. Mijn broer heeft een camping in Frankrijk, mijn zusje woont hier in de stad. Ik woon nog bij mijn moeder, zij is nog goed gezond, maar ze vindt het wel gezellig dat ik nog thuis woon, ze kan niet zo best tegen alleen zijn. Ik kon wel leren, maar ben zeker geen studiebol, ik heb de havo gehaald en ben daarna gaan werken, zit op kantoor van een verzekeringsmaatschappij. Ben altijd een verlegen jongetje geweest, ik hield me graag overal op de achtergrond, bang om op te vallen. Thuis waren de anderen ook meestal aan het woord, maar dat vond ik niet erg, was wel rustig voor me.

Daardoor was het, denk ik, ook moeilijk voor mij om contact met meisjes te maken. Ik heb wel een keer een vriendinnetje gehad, dat had ik ook al verteld.

Ik kom graag bij mijn broer, ga regelmatig naar hen toe. Moeder wil ook altijd graag naar Jan en Toos en de kleinkinderen, natuurlijk.

Bij mijn zus kom ik vaak, ik vind de nichtjes en neefjes geweldig en begin nu, op mijn tweeëndertigste, naar een vrouw en een eigen huis te verlangen. Mijn vrienden zijn allemaal getrouwd. Ik ben er altijd welkom, maar je bent toch een eenling. Ik ontmoet eigenlijk nooit meisjes. Toen bedacht ik dat ik het maar eens bij een relatiebureau moest proberen. En hier zit ik dan. Ik zou jou heel graag beter leren kennen, als jíj dat ook wilt.'

'Na alles wat ik van mezelf verteld heb?' vraagt Katja verbaasd.

'Juist daarom denk ik, want ik wil weten of jij zo zwart bent als je jezelf afschildert.'

'Ja, nou ja, dat is ook een reden, maar het zal je vast tegenvallen.'

'Waarom ben je hieraan begonnen als je me nu op een afstand houdt?'

Verlegen opeens heeft ze het heel druk met een lepeltje dat ze op de grond laat vallen. Met een kleur als vuur legt ze het weer op haar schoteltje. 'Ik … nou, ik kan niet tegen alleenzijn, maar ik ben zo bang dat ik het weer verknoeien zal.'

'Als jij dit nog steeds voort wilt zetten, dan stel ik voor dat we elkaar gewoon wat vaker ontmoeten en gaandeweg ontdekken of we samen verder willen. Je weet niet hoe gesprekken lopen, of verhelderend kunnen werken.'

'Dus mijn dochtertjes zijn niet in de eerste plaats een belemmering voor je?'

'Als dat zo was, zou ik niet op deze ontmoeting in gegaan zijn, dan had ik bij het bureau dat kenbaar gemaakt. Bovendien ben ik gek op kinderen, dat zei ik al, mijn neefjes en nichtjes zijn alles voor mij. Ik zou je dochters graag eens ontmoeten, zomaar, zonder verplichtingen.'

Katja denkt even na, dan vraagt ze iets heel anders: 'Ga jij elke zondag naar de kerk?'

'Ja, wat heeft dat hiermee te maken?'

Katja schiet in de lach. 'Alleen maar dit: dat je dan misschien zondag na kerktijd koffie bij mij zou kunnen drinken in een weekend dat ze niet bij hun vader zijn.'

'Dat is een goed idee, ik moet dan wel je adres hebben, want ik heb alleen je telefoonnummer.'

Ze wisselen adressen uit. Katja zal bellen als de meisjes een zondag bij haar zijn. Dat wordt dus hun volgende afspraak.

Wonderlijk snel knapt Astrid op en als de dag van de verhuizing van oma daar is, kan ze dan nog wel niets doen, maar ze kan er wél bij zijn. Samen met Anneke haalt ze haar op als alles klaar is. Bloeiende plantjes prijken voor de ramen, de meubeltjes staan zo veel mogelijk net als in haar oude huis. Ze zijn zeer benieuwd wat hun moeder ervan zeggen zal.

Als ze haar komen halen, zit ze klaar; de poes zit ook al te wachten in haar mand. Ze lacht als ze binnenkomen. 'Nu ga ik naar alle dieren, ja? Ik heb geen … ach, ik weet niet meer hoe dat heet.

'Heb je geen portemonnee?' vraagt Anneke op goed geluk. Ze schudt boos haar hoofd, haalt de beurs uit haar zak, om te laten zien dat ze best weet waar ze het over hebben. Maar wat ze dan niét heeft, is ze alweer vergeten.

De directrice komt de kamer binnen om afscheid te nemen. 'Nou, vandaag gaat het gebeuren, ik wens u een heel goede tijd in uw nieuwe huis.'

Het kan oma niet gauw genoeg gaan.

'Nu gaan we weg,' zegt ze gedecideerd tegen mevrouw Jansen.

Ze stappen in Annekes auto en daar gaan ze, tassen en koffers in de achterbak, de poezenmand voorin.

Onderweg begint ze opeens te huilen. Astrid, die achterin bij haar is gaan zitten, slaat een arm om haar heen. Troostend zegt ze: 'We gaan nu fijn naar je nieuwe huis.'

'Pappa, Albert …' zegt ze.

Astrid probeert haar af te leiden en zegt: 'Kijk eens naar buiten, mooi is het hier hè?' Dat helpt en even later lacht ze weer. Daar komt haar nieuwe thuis in zicht. 'Kijk dan, daar,' wijst Anneke.

Ze rijden de oprijlaan op, met aan allebei de kanten hoge bomen en stappen uit voor de grote deur. Er wordt al op hen gewacht. Een meneer komt naar hen toe en vraagt: 'Zal ik een rolstoel halen?' Nee, schudden ze allebei, want als hun moeder iéts niet wil is het een rolstoel, daar moet ze eerst 'oud' voor zijn, vindt ze zelf.

Tussen een meisje van de receptie en Anneke in gaat het stapje voor stapje. 'Jij gaat niet met de tassen sjouwen, die haal ik zo wel,' zegt Anneke, ze kijkt over haar schouder naar Astrid, die al bij de kofferbak bezig is. 'Nee, zuster, ik zal het niet doen,' zegt ze quasionderdanig.

Even later staan ze in de nieuwe, lichte gang, de verbinding tussen het oude en het nieuwe gedeelte. De deur van kamer E 58 gaat open en vol bewondering kijkt ze rond. 'Thuis,' zegt ze dan. Het is ook een grote overgang van de vrij kale ziekenkamer waar ze de laatste weken gewoond heeft. Met een zucht laat ze zich op haar oude, vertrouwde stoel zakken. Alsof ze zeggen wil: 'Hier krijgen jullie me niet meer vandaan' en als dan even later poes Minet op haar schoot springt, is haar geluk voor dat moment volkomen. Astrid en Anneke zijn verbaasd en blij dat het zo vlot gaat.

Maar ze weet nog goed wat ze wil. 'De dieren … waar zijn de dieren?' Ze kijkt in het rond of die dieren allemaal in haar kamer zijn.

'We gaan zo naar buiten, naar de dieren kijken, eerst maar een kopje koffie.'

Maar dat snapt ze niet, ze heeft maar één wens: de dieren. Ongeduldig wacht ze tot Anneke met de koffie komt en ze gunt zich geen tijd om het op te drinken. Ze nemen haar mee, naar buiten, met haar rollator kan ze nog aardig lopen. Ze kijkt blij om zich heen. Geitjes, schapen met lammetjes, eenden, konijnen. Een hond komt eens kijken bij haar, ze vindt het allemaal prachtig en is er helemaal verrukt van. Een bewoner die aan het helpen is om de beesten te verzorgen, brengt haar een konijntje, ze knuffelt en aait het diertje: 'Lief, lief, zacht,' mompelt ze.

De beesten zijn er helemaal aan gewend om opgepakt en geaaid te worden.

Astrid en Anneke moeten nog naar de administratie, maar oma is niet bij de dieren weg te slaan.

Een verzorger zegt: 'Dat is onze nieuwe bewoonster, welkom,' en tegen de zussen: 'Ga maar, ik breng haar wel naar haar kamer. Dit gaat geweldig goed.'

Astrid en Anneke besluiten om nog even om het hoekje te kijken als hun moeder weer in haar kamer is, maar ze zien dat ze heel tevreden in haar stoel zit, met een gezicht van: hier ben ik weer thuis.

Ze mogen ook nog een kijkje nemen in de keuken, waar een mevrouw bezig is om andijvie te wassen en een meneer aardappels zit te schillen. 'Wat een verschil met een gewoon verpleeghuis,' zegt Anneke, 'deze mensen zijn kennelijk blij dat ze helpen kunnen en mogen.'

Dankbaar en opgelucht gaan ze naar huis.

'Zag je dat die meneer slaplantjes aan het poten was?'

'Ja, en een ander liep te schoffelen en er was er een die de konijnenhokken schoonmaakte. Ik vind het een geweldige oplossing, we boffen dat moeder hier kan wonen. Het is wel elke keer dik een halfuur rijden, als er geen files zijn, om bij haar op bezoek te gaan. Maar dat heb ik er graag voor over.'

'Ik vind dat we allemáál geboft hebben. Ga je nog even mee, een boterhammetje eten? Gezellig, samen, Bert en Mandy zijn naar hun werk.'

'Dat kan ik wel doen, ik heb pas om twee uur een afspraak,' zegt Anneke, 'maar jij moet toch rusten vanmiddag? Je bent moe, ik zie het.'

Als ze binnenkomen in de gang gaat de telefoon. Het is Katja, die om half vier, na haar werk, bij haar langs wil komen. Ze haalt dan eerst de kinderen uit school.

'Is er wat bijzonders, waar je voor belt?' informeert Astrid.

'Nou, nee, maar ik wil graag weten hoe het met oma gegaan is. Of heb je andere plannen?'

'Ik heb geen andere plannen en mijn rustuurtje is dan ook voorbij.'

'Ik hoor vanmiddag de rest wel, want ik moet opschieten, anders kom ik te laat op mijn werk.'

Om even over half vier staat Katja bij de school van Mirthe en Sifra. Ze hollen om het hardst naar hun moeder toe en vertellen tegelijk hun verhaal, zodat Katja er niets van verstaat.

'Kom. We gaan naar oma.'

'En tante Mandy,' zeggen ze er in koor achteraan.

Opa en oma wonen vlakbij. 'Mogen we doen wie er het eerste is?'

'Toe maar, val niet, hè!'

'Ikke eerst, nee, ikke,' roepen ze als ze bij deur zijn, die Mandy al opendoet.

'Kom maar gauw binnen, jullie waren precies gelijk hier, geen ruziemaken.'

Als Katja even later bij haar moeder zit, vraagt ze hoe het met haar gaat, maar ze luistert maar half naar het antwoord. Echt Katja, denkt Astrid met een glimlach.

'Waarom lach je, mam?'

'Ik had een binnenpretje,' zegt ze en daarna vertelt ze hoe goed de verhuizing van oma verlopen is, dat ze helemaal in de wolken was met al die dieren. 'Ze heeft niet eens gemerkt dat wij weggingen.'

'Heerlijk toch, ja, ik wil wel thee,' zegt ze in antwoord op Mandy's vraag. De kinderen zijn al naar boven, het speelgoed van Mandy is het mooiste wat ze bedenken kunnen.

'En wat is er met jou?' vraagt Astrid, als de thee met een chocolaatje voor hen staat.

'Hoezo?' vraagt Katja schijnheilig, 'wat zou er zijn met mij? Waarom vraag je dat?'

'Omdat je helemaal uitstraalt dat je me wat komt vertellen.'
Katja krijgt een kleur. 'Je hebt me weer akelig door, mam,'
zegt ze. 'Maar ik wil graag even mijn verhaal vertellen, ik zou
niet willen dat je het van de kinderen of van een ander hoort.
Toen ik van Mandy het telefoontje kreeg dat jij naar het ziekenhuis gebracht was en dat het ernstig was, zat ik in een restaurant, omdat ik een afspraakje had met een man. Ik was naar
een relatiebureau gegaan en zodoende.'
'Daar heb ik iets van gehoord, ik bedoel, dat je naar een relatiebureau zou gaan, maar ga verder,' onderbreekt haar moeder
haar.
'Ik was net begonnen met iets van mezelf te vertellen, ook dat
ik niet alleen kon zijn, maar ik heb eerlijk gezegd dat de meeste schuld dat mijn huwelijk kapotgegaan was, bij mij lag. Dat
ik vreselijk jaloers van aard ben.'
Zo, denkt Astrid, geef je dat zelf toe, heb je je zo kwetsbaar
opgesteld?
Maar ze zegt: 'Wat zei hij?'
'Ik veronderstelde dat hij wel meteen op zou staan om weg te
gaan, toen hij wist hoe ik was. Maar hij zat me een beetje
geamuseerd aan te kijken. Hij zei: Als ik dat zo goed wist, dan
kon ik daar toch zelf verbetering in aanbrengen. Het lijkt me
interessant om de echte Katja te leren kennen, zei hij nog.
Toen ging de telefoon en zijn we naar het ziekenhuis geracet.
Hij vroeg nog wel mijn telefoonnummer. De volgende ochtend al belde hij om te vragen hoe het met je was. Toen had ik
wel wat anders aan mijn hoofd om aan te denken; wat schrok
ik, ik dacht dat je zou sterven.
Daarna, toen jij alweer thuis was, belde hij op voor een nieuwe afspraak in hetzelfde restaurant en daar heeft hij het een
en ander over zichzelf verteld. Hij heeft niets bijzonders
meegemaakt, woont nog bij zijn moeder, omdat zijn vader is
overleden toen hij plannen had om een huis te kopen of te

huren. Hij komt uit een fijn gezin, heeft geen studiehoofd, maar heeft wel de havo afgemaakt en werkt nu op kantoor bij een verzekeringsmaatschappij. Hij is dol op kinderen, dus Mirthe en Sifra zijn geen enkel bezwaar voor hem, hij vindt het juist leuk, is gek met de kinderen van zijn broer en zusje.'

Katja heeft alles achter elkaar afgeraffeld, alsof ze bang was om op te houden en dat ze dan niets meer zeggen zou.

'Is hij gelovig?'

Katja schiet in de lach: 'Ik dacht wel dat je dat het eerste vragen zou. Je gelooft mij misschien niet, maar ik heb me bij een christelijk relatiebureau ingeschreven. Toen ik dat telefoontje van Mandy kreeg dat jij naar het ziekenhuis gebracht werd, zei hij dat hij zou bidden voor je. Ik heb ook gevraagd of hij elke zondag naar de kerk ging, maar dat wou ik alleen maar weten omdat hij na kerktijd, aanstaande zondag, bij ons komt, om met de kinderen kennis te maken.'

'Nu al. In dit stadium? Is dat niet een beetje gauw? Of zijn jullie al zo zeker van elkaar?'

'Nee hoor, hij komt kennismaken met de meisjes en we zeggen dat het een oom is. Dan weten we ook of dat klikt en dan kunnen we verder praten. We moeten elkaar eerst veel beter leren kennen, want wat weten we nu nog van elkaar?'

'Ik zou het maar heel goed bekijken, als ik jou was,' zegt Astrid. 'Blijf je eten?'

'Is dat niet te druk voor jou? Je moet je niet te moe maken. Weet je wat, mam, ik ga wel even vragen wat Mandy ervan vindt, want zij heeft boodschappen gedaan, denk ik.'

Katja roept onder aan de trap: 'Mandy ...'

'Mam, mogen we hier eten? Het mag van tante Mandy.'

'Dat wou ik juist vragen, mam vroeg of we bleven, maar ik ben bang dat het te druk is voor haar.'

'Als we samen koken, en jij gaat meteen na het eten naar

huis, dan kan mam een poosje rusten; pappa droogt elke avond af.'

'Mirthe en Sifra, luister eens even naar mam: we blijven hier eten, als jullie beloven dat je niet zo druk zult doen.'

'Ja, mam,' beloven ze braaf.

Even later komt opa Bert thuis, de kinderen bestormen hem. Opa kan zulke leuke grapjes verzinnen.

Mandy en Katja zijn naar de keuken gegaan. 'Je boft, ik heb net vanmorgen van alles en nog wat ingeslagen. Ik heb broccoli, daar zijn de meiden zo gek op, boompjes noemen ze dat toch?'

'Ik vind het ook lekker, zal ik de sla klaarmaken, of is die voor morgen?'

'Doe maar, er is nog komkommer en tomaat ook.'

'Ik heb met mam gepraat en haar verteld dat ik iemand heb leren kennen ...' zegt Katja, en daarna vertelt ze het hele verhaal aan Mandy.

'Ik wist al dat je een afspraak had, maar wat denk je? Wordt het wat?'

'Ik weet het echt nog niet, dat zal ook van zondag af hangen, hoe hij de kinderen vindt en zij hem. Ik vind hem erg sympathiek, maar we kennen elkaar nog niet echt, 't zal dus allemaal nog moeten blijken.'

'Ik zou het fijn vinden voor je, jij bent niet iemand om alleen te zijn. Misschien past jouw karakter wel beter bij hem dan bij Hugo.'

'Weet je dat ik het voor Hugo nog steeds erg vind? Ik heb het zelf verpest, misschien kan Jan Willem beter met mijn karakter omgaan, misschien is hij wat harder dan Hugo ...'

'Ja, die heeft zo'n zacht karakter; dat bedoel ik niet cynisch, hoor.'

'Is hij niets voor jou, Mandy?'

Deze begint te lachen: 'Ja hoor, ga jij maar lekker koppelen.

Ik vind het voorlopig nog rustig zo. Ik ga met een heel stel vrienden om, je weet wel, die jeugdgroep van de kerk, allemaal van mijn leeftijd of iets jonger, dat is heel gezellig, maar verder, nee, voor mij hoeft het nog niet. Ik geloof dat alles klaar is hier, wil jij de tafel dekken? Dan kunnen Mirthe en Sifra plassen en handen wassen.'

Na het eten zien ze al dat Astrid doodop is. Dus gaat Katja naar huis, Bert installeert Astrid op de bank en gaat daarna Mandy helpen in de keuken.

Daar hebben vader en dochter een serieus gesprek, eerst over Astrid. Bert is zo bezorgd, veel te bezorgd, denkt Mandy, die dat ook zegt. 'Mam vindt het niet zo fijn als je steeds zo opvallend op haar zit te letten.'

Hulpeloos haalt hij zijn schouders op, maar dat kan Mandy niet zien, ze is aan het afwassen. 'Ik zal mijn best doen.'

Daarna praten ze nog even over Katja en haar vriend.

Toch voel ik mij iedere dag een beetje beter, houdt Astrid zichzelf voor, ze wil vechten om weer helemaal op te knappen. Wat heerlijk dat Mandy thuis is en wat deed het haar goed, zoals ze vanmiddag met Katja gepraat heeft. Hugo komt ook af en toe langs om te kijken hoe het met haar gaat.

Ze is dankbaar voor ieder klein dingetje, dat heeft ze altijd gehad: de dag der kleine dingen, zei ze altijd.

Iemke heeft beloofd dat ze de volgende middag komt, met de kinderen. Wat geniet ze daar ook van, wat een opmerkingen komen er soms uit die kleine mondjes. Iemke is een lieve schoondochter. Anneke komt ook elke dag even langs, altijd met een kleine verrassing: een zelf gemaakt boeketje, fruit, een blad over tuinen of een mooi boek.

Ook heerlijk dat hun moeder het zo goed getroffen heeft op de zorgboerderij. Ze krijgt nu ook andere medicijnen. Hopelijk reageert ze daar goed op.

Al denkende sukkelt ze in slaap, Bob ligt aan haar voeten.

Bert en Mandy sluipen zacht naar binnen om haar niet wakker te maken.
Daarna gaat Bert naar boven om nog wat werk na te zien en Mandy stapt op de fiets om naar haar vriendin te gaan.

9

Het is zondagochtend. Katja heeft de kinderen verteld dat er een oom koffie komt drinken. 'Oom Lennard? Offe ... oom Jan, pappa's broer?'
'Nee, allemaal verkeerd, deze oom heet Jan Willem.'
'Wij gaan wel in onze eigen kamer spelen,' zegt Mirthe eigenwijs.
'Blijf maar eerst beneden, dan kunnen jullie zien of je hem aardig vindt en anders gaan jullie naar je kamer.' Dat wordt goed gevonden.
Katja is best een beetje zenuwachtig. Maar als Jan Willem er is, is het ijs gauw gebroken. Nieuwsgierig nemen ze hem op.
'Jij bent Mirthe en jij Sifra?' Ze knikken allebei.
'Ik heet Jan Willem Veenendaal.'
Daar wonen oom Jan en tante Corrie ook,' zegt Mirthe.'
'Maar ik wóón niet in Veenendaal, ik héét zo. Kijk eens, geef deze bloemen maar aan mamma, dan krijgen jullie van mij ook wat.' Hij tovert uit zijn zak twee vingerpopjes tevoorschijn. Ze vinden ze erg leuk.
'Ik wou echt een kleinigheidje geven, mijn moeder zei ook dat ik niet gelijk met dure cadeaus aan moest komen,' zegt hij ter verontschuldiging.
'Het is prima zo, en bedankt voor dit prachtige boeket. Doe je jas uit en ga zitten, op de bank, op een stoel bij de tafel, waar je maar wilt, ik kom zo met de koffie.'
'Mogen wij nu in onze kamer spelen, mam? We hadden net een kasteel van lego gemaakt en nu moeten de mensen er weer in.' Sifra kijkt haar moeder aan en daarna naar die vreemde oom. Hij is wel aardig, maar ze gaan toch liever naar hun kamer.
'Als jullie nu eerst je limonade op drinken en je koek op eten.'
Dat doen ze, staande bij de tafel, zo'n haast hebben ze.

'Mag ik jullie legokasteel zien? Ik speelde vroeger ook altijd met lego en mijn neefjes en nichtjes help ik er wel eens mee,' vraagt Jan Willem. De meiden kijken elkaar aan en met een blik van: vooruit dan maar, stemmen ze toe.

Als ze op hun kamer laten zien wat ze gemaakt hebben en Jan Willem zegt dat hij het mooi en knap vindt, vinden ze het toch wel leuk, zo'n nieuwe oom.

Als hij weer in de huiskamer is opent hij het gesprek. 'Zo, dit is dus jouw huis.'

'Mijn ex woont in het huis dat we samen gekocht hebben en ik zit hier op dit flatje,' schiet ze meteen in de verdediging.

'Maar je zit hier toch leuk? Voor zover ik gezien heb, is dit een leuke buurt, je hebt een grote woonkamer en mooi uit-zicht, met dat groen en die bomen aan de overkant. De mei-den hebben een fijne kamer en jij hebt toch ook je eigen slaap-kamer, neem ik aan.'

Katja bestudeert haar nagels, ze kijkt hem niet aan. 'Ach ja,' zegt ze even later met een zucht, 'zie je nou hoe ontevreden ik nu weer ben? Want je hebt gelijk, natuurlijk woon ik hier aardig, we zitten vlak bij winkels, de school van de kinderen is hier om de hoek, dus ik mag niet zeuren. Waar woonde jij ook alweer?'

'In de Vier Heemskinderenstraat, we kijken uit op de Vliet.'

Oh ja, denkt Katja, nou, dat kon slechter. Ze beseft wel dat ze niet zo negatief moet zijn, dat komt niet leuk over.

Er valt een stilte.

'Is je moeder al wat opgeknapt?' vraagt hij even later.

'Ze voelt zich nog wat slap en we kunnen zien dat ze gauw moe is, maar verder gaat het goed en klagen doet ze nooit.'

Mirthe komt op dat moment met een boos, verontwaardigd gezicht naar binnen, ze knalt de deur achter zich dicht, maar die wordt meteen weer opengegooid door Sifra. 'Wat is er? Wat hebben jullie?'

'Mam, we waren met lego een winkeltje aan het maken, zij wou het iedere keer anders dan ik en toen … toen … werd ze boos en gooide alles door elkaar.'

'Nietes mam, zo wás het helemaal niet; ik wou een rood dak en zij een blauw en toen gooide ze alles door elkaar …'

'Nietwaar, mam, zij wou steeds de baas zijn en ik ook een keer en toen stootte ze het om …' barst Sifra in snikken uit.

Ze staan als kemphanen tegenover elkaar.

Katja pakt ze allebei bij een arm en zet ze aan weerskanten naast zich.

'Vinden jullie het leuk om ruzie te maken?'

'Nee, maar zij was gemeen …'

'Nietwaar,' stampvoet Sifra, 'ik wou gewoon … gewoon …'

'Willen jullie nou even luisteren? Anders gaat Mirthe naar de gang en Sifra naar de keuken, dan kunnen jullie bedenken of je nog meer ruzie wilt maken, of dat je weer leuk samen gaat spelen.'

Ze bekijken elkaar met boze ogen en zeggen geen van beiden wat.

'Hebben jullie misschien een mooi boek, dan zal ik voorlezen,' stelt Jan Willem voor.

Verbaasd kijken ze op, dat is wel wat, voorlezen.

'We hebben van pappa een kinderbijbel gekregen, maar mamma wil er bijna nooit uit lezen. Ik pak hem wel,' zegt Mirthe. Sifra droogt haar tranen en als Mirthe even later met de kinderbijbel beneden komt, nodigt hij hen uit om ieder op een knie te komen zitten. Katja kijkt het met verbazing aan.

'Weten jullie ook welk verhaal?'

'Van David en Goliath,' zegt Mirthe.

'Van de goede Herder.' zegt Sifra.

'Goed, dan eerst van David en Goliath en daarna van de goede Herder. Kun jij het al opzoeken, Mirthe?'

Ze knikt, zodat haar vlechten om haar hoofd zwieren.

'Zal ik een lunch klaarmaken in die tijd, want je eet toch wel een hapje mee?'
'Als dat mag, maar dan moet ik wel even mijn moeder bellen, anders wacht ze op me met eten.'
Na het telefoontje gaat hij op de bank zitten, met aan weerszijden een kind. Voorlezen is altijd heerlijk en de ruzie is snel vergeten.
In de keuken denkt Katja, terwijl ze het brood uit de kast haalt en eens bekijkt wat ze nog voor broodbeleg heeft: Ik vind hem echt leuk. Ik wil best nóg een afspraak, elkaar beter leren kennen.
Het hart van de kinderen is al gestolen, voorlezen, zelf doet ze het weinig, ze heeft er een gruwelijke hekel aan.
Na de lunch kondigt hij aan naar huis te gaan: 'Moeder vindt het niet leuk om de hele zondag alleen te zijn. Wanneer zien we elkaar weer?'
Ze maken een afspraak voor de volgende vrijdag: 'Want dan zijn de meiden bij hun vader. Hoef ik geen oppas te regelen.'
Mirthe en Sifra zijn buiten gaan spelen na de lunch. Hij zwaait naar hen als hij wegfietst.

's Avonds in bed kan Katja niet in slaap komen. Flarden van gesprekken komen in haar naar boven. Ze mag Jan Willem graag, maar wil ze wel verder met hem? Is hij niet een veel te zachte, lieve man voor haar? Zal ze, als ze aan elkaar gewend zijn, over hem heen walsen, zoals ze bij Hugo gedaan heeft? Wat wil ze dán? Ook wat hij zei over zijn moeder, zint haar niet. Eerst mammie bellen dat hij niet komt lunchen, en vanmiddag naar huis gaan omdat ze het niet leuk vindt om de hele zondag alleen te zijn. En al eerder moest hij haar bellen, ze weet niet meer waarvoor. Is hij zo'n moederskindje, of is zijn moeder een bezitterig typ, die haar laatste kind liever bij zich wil houden? Mijn moeder zei, dat ik niet meteen met dure cadeaus aan moest komen, ze kan niet zo best tegen alleen zijn, schiet het door haar heen. Al die dingen zet ze op een rijtje, maar ze komt er niet uit.

Met de kinderen kon hij het goed vinden. Maar wat als hij mee gaat opvoeden? Wil ze dat wel?

'Heer, help me toch,' zegt ze, half hardop. Ze moet er zelf om lachen. Bidden? Het is haar opvoeding die haar parten speelt. Haar vader zou zeggen: Geen gebed is God te klein of te moeilijk. Je mag alles tegen Hem zeggen. God is je Vader. Vraag om Zijn hulp en je zult die krijgen.

Ze piekert erover dat haar ouders blijkbaar wél steun vinden bij God en zij niet. Maar, denkt ze, het is ook niet eerlijk om God alleen maar te roepen als ze in de problemen zit, dan moet Hij vlug helpen, alsof je een pijnstiller pakt als je hoofdpijn hebt. Nee, zo wil ze het niet, ze zal er zélf wel uitkomen.

Ze gaat uit bed, trekt haar duster aan en loopt naar de keuken. Daar zit ze voor het raam in het donker en kijkt naar buiten naar de lichten, en het verkeer, dat, ondanks het late uur, nog behoorlijk doorraast.

Langs de achterkant van haar flat loopt, daarvan gescheiden door een geluidswal, een drukke snelweg.

Ze drukt haar voorhoofd tegen het glas, opeens komen de tranen. Zelfmedelijden? Maar dat wíl ze helemaal niet; driftig veegt ze ze weg. Hou op met dat gedoe.

Ze staat op, doet het licht aan en schenkt een glas chocomel in, ze pakt er twee koekjes bij. Daarna gaat ze bij de tafel een tijdschrift zitten lezen. Huwelijksproblemen? Nee, overslaan. Mode, recepten, het interesseert haar niet, ze bladert, drinkt haar beker leeg, eet haar koekjes op en besluit om maar weer naar bed te gaan. Daar valt ze, in tegenstelling tot wat ze verwachtte, onmiddellijk in slaap.

Bert en Astrid zitten 's avonds samen in de kamer. Astrid vindt het gezellig dat Bert een avond thuis is, dat gebeurt niet zo vaak. Hij is ouderling en neemt die taak zeer serieus. Hij is ook nog bij ander kerkenwerk betrokken. Bovendien is hij gemeenteraadslid.

Het blijft goed gaan met haar.

'Dus Katja is op zoek naar een man,' zegt Bert, als hij het hele verhaal aangehoord heeft, 'wat vind jij ervan?'

'Het is háár leven, en als ze denkt dat ze nu gelukkig kan worden! Ik vind het nog steeds erg dat Hugo zo opzijgeschoven is. Hij had eens met zijn vuist op tafel moeten slaan. Hij is veel te goed geweest voor haar.'

Bert drinkt aandachtig zijn kopje leeg, voordat hij antwoord geeft. 'Misschien heb ik ook schuld,' zegt hij bedachtzaam, 'ik heb haar altijd haar zin gegeven. Jij kon er wel eens kwaad om worden. Als klein kind was dat al. Ik gaf altijd toe; ja, dat heb ik ook later, te laat, allemaal pas bedacht.'

'Wat een zelfkennis,' lacht Astrid, 'ik heb er ook schuld aan, ik heb nooit echt een band met haar gehad zoals ik met Mandy wel heb, en daar was Katja dan weer jaloers op. Die ellendige jaloezie van haar … Maar misschien heb ik te weinig gedaan om haar te begrijpen. Nu is ze weer jaloers dat wij nog zo'n goeie band met Hugo hebben. Vertelde ik al dat ze zich bij een christelijk relatiebureau heeft ingeschreven?'

'Dat begreep ik eigenlijk al, omdat hij gezegd had dat hij voor jou bidden zou, ik neem aan dat zo iemand zich bij een christelijk bureau laat inschrijven.'

'Heb jij de naam Veenendaal hier wel eens gehoord? Jij komt overal.'

'Bij ons in de kerk niet, dat weet ik wel zeker en verder, nee, er gaat geen belletje rinkelen. Waar zei je dat hij woonde? In de Vier Heemskinderenstraat? Denk je dat ik op informatie uit moet gaan?'

'Dat vind ik een stapje te ver, het zijn geen kleine kinderen meer en bij dat bureau zullen ze toch ook wel weten wie ze inschrijven?'

'Laten we hopen dat ze zelf oud en wijs genoeg is en het verder maar overgeven,' zegt Bert en pakt zijn tijdschrift weer op. Dan weet Astrid het wel; als hij verdiept is in zijn lectuur, ziet of hoort hij niets meer. Met een zucht staat ze op en zet de vuile kopjes in de keuken. Ze moet drie keer vragen of hij iets wil drinken voordat ze een verstrooid antwoord krijgt: 'Mmm, ja, drinken? Geef maar een glas cola.'

'Wil je niet liever een wijntje?' vraagt ze verbaasd, omdat hij nooit cola drinkt.

'Dat zei ik toch? Je vroeg of ik wijn wilde. Je kunt toch bijna niet geloven wat ik hier lees? Hij leest haar een ongeloofwaardig verhaal voor over een inbreker die in de juwelierswinkel waar hij ingebroken had, zijn portefeuille had laten liggen. Als hij klaar is, zegt ze: 'Nu weet ik waarom je zo verstrooid was. Oh, ik geloof dat ik Mandy thuis hoor komen.'

'Dag pap, dag mam, wat zitten jullie hier knus, zo met een schemerlamp en een paar kaarsjes aan. Waren jullie in een ernstig gesprek? Dan ga ik meteen door naar boven, hoor.'

'Pappa las me net een mooi verhaal voor,' zegt Astrid lachend, 'dus een ernstig gesprek kun je dat niet noemen. Hoe was jouw avond?'

'We hebben een soort rollenspel gedaan, waar we later over na moesten praten. Dat was best interessant.

Mam, heb je gehoord dat Janny de Wit in het ziekenhuis ligt? Ze is met de ambulance weggebracht, maar niemand wist wat er precies was.'

Astrid schrikt, Janny de Wit, ze leggen altijd samen pastorale bezoeken af. Morgen maar bellen, besluit ze.

Er wordt weer een sleutel in het slot gestoken en even later komt Lennard binnen.

'Ik kom eens kijken hoe het met mijn moedertje gaat.'
'Je bent dus weer terug, hoe was het in Engeland?'
'Oh, best goed hoor, ik heb er alleeen weinig van gezien, eindeloze besprekingen over de verfilming van mijn boek. 's Avonds een borreluurtje, en daarna naar bed, de volgende dag een excursie, maar die was zo saai, nou, dat weet ik vast, daar hoef ik geen boek over te schrijven. Maar hoe is het met je, mam?'
'Gaat goed, geen pijn meer, maar ik moet me heel rustig houden, ik ben gauw moe. Dat is niks voor mij. Wil je ook een glas wijn of liever een pilsje?'
'Geeft me maar een rood wijntje.'
Mandy is al opgesprongen. 'Blijf zitten, mam, ik doe het wel. Nog iemand iets?'
Bert schuift haar zijn glas toe.
'Mam,' vraagt Mandy, 'nog rode wijn om aan te sterken? Dat zeiden ze vroeger toch altijd?'
'Dan moest je Pleegzuster bloedwijn drinken,' lacht Astrid.
Vader en zoon zijn al gauw in een diepgaand gesprek gewikkeld. Mandy zet een schaal met blokjes kaas en schijfjes worst neer. Als Pa en Lennard eenmaal met elkaar praten, kan het laat worden, weet ze uit ondervinding.
'Ik ga naar bed,' kondigt ze even later aan, terwijl ze het laatste slokje van haar wijn neemt.
'Vinden jullie het heel erg als ik ook naar boven ga?' vraagt Astrid, 'ik ben moe en jullie kunnen het samen ook wel af.'
'Ga maar lekker slapen. Welterusten allebei.'
Mandy ligt nog een poosje te lezen, maar Astrid slaapt meteen. Ze is een berg aan het beklimmen, heeft geen uitzicht, donkere bossen zijn om haar heen. Het is ijzig koud en het begint te sneeuwen. Ze is helemaal alleen. Steeds hoger moet ze klimmen en steeds onbegaanbaarder wordt het pad. Tot er helemaal geen pad meer is, de sneeuw bedekt alles. Ze strui-

kelt, valt, glijdt omlaag en kan niet meer opstaan. Ze wil gillen, maar er komt geen enkel geluid uit haar mond.

'Mam, mam, word eens wakker, wat is er? Waarom gil je zo? Ik schrok me naar.'

Eindelijk wordt Astrid wakker, met grote angstogen kijkt ze Mandy aan. 'Weet jij de weg? Ik kan niet meer opstaan. Hoe komen we hier uit?' vraagt ze.

Mandy neemt haar als een klein kind in haar armen. 'Stil maar, mam, je bent gewoon thuis, je ligt in je eigen bed. Maar je had een nachtmerrie.'

Met een diepe zucht komt ze langzaam terug in de werkelijkheid. 'Zo koud en zo donker, hu,' ze rilt. 'Ik was de weg kwijt en ik viel, ik was helemaal alleen.'

Mandy zegt: 'Vertel maar als je wilt, zal ik eerst een beetje drinken halen? Water, melk, wat wil je?'

'Geef maar een glas water.'

Als ze dat gulzig leeggedronken heeft, zegt Mandy: 'Zal ik nog een poosje bij je blijven? Ik sliep nog niet, ik lag te lezen.' Ze gaat op de rand van het bed zitten.

'Hoe lang heb ik dan geslapen? Het lijkt me midden in de nacht.'

'Het is half twaalf en om kwart voor elf gingen we naar boven, dus je hebt hooguit een halfuur geslapen, misschien nog wel korter.'

Astrid wil bewust afstand nemen van de nachtmerrie en vraagt: 'Je bent morgenmiddag toch vrij?' En als Mandy bevestigend knikt: 'Heb je zin om mee te gaan, ik wil een bloesje kopen en daarna even bij oma gaan kijken, wat denk je?'

'Leuk, daar heb ik wel zin in, ik kreeg juist vanmiddag een telefoontje van Herma dat ze morgenmiddag niet komen kon, dus prima, gezellig.'

Beneden horen ze Lennard weggaan en Bert gaat de boel af

sluiten. 'Zal ik pappa roepen?' vraagt ze lief.
'Doe maar niet, hij zit 's avonds meestal nog even zijn krant-
je te lezen. Ik ben blij dat ik wakker ben en dat jij me hoorde.
Ik wou gillen, maar er kwam geen geluid uit mijn keel.'
Mandy schiet in de lach: 'Je gilde alles bij mekaar.'
Nog een poosje zitten ze zo samen en dan horen ze Bert naar
boven komen.
'Ik duik gauw in mijn mandje,' zegt Mandy, 'welterusten en
niet meer van die enge dingen dromen.'

10

Katja heeft weer een afspraak met Jan Willem. Ze heeft de buurvrouw gevraagd een oogje in het zeil te houden. De meisjes sliepen al voordat ze wegging.

Ze weet nog steeds niet wat ze wil, maar ze overlegt bij zichzelf dat ze elkaar eerst beter moeten leren kennen. Hij raakt niet uitgepraat over die lieve meiden van haar, dat zou dus geen enkel punt zijn, en de kinderen hebben al gevraagd wanneer hij weer komt, dus ...

Ze gelooft dat het van zijn kant ook wel serieus is, dus nu tobt ze alleen nog met zichzelf. Wat wil ze nou?

Houden van? Liefhebben? Gewoon een goede vriend? Dat laatste benadert haar gevoel misschien nog wel het meeste. Dus is ze weer terug bij af.

'Zullen we een eind gaan wandelen?' vraagt hij als ze de koffie op hebben. 'Het is zo'n mooie zomeravond.'

'Ja, best.'

'Laten we dan eerst een stukje rijden, de stad uit, naar een rustig stukje park of een landweggetje. Ik weet wel wat, ik fiets daar ook graag.'

Even buiten de stad, maar er eigenlijk al tegenaan gegroeid, ligt een klein dorpje. Er is telkens al sprake van geweest om het bij de stad te betrekken, maar het ligt er nog mooi te zijn. Een plein in het midden, mooie straten met hoge bomen die daar naartoe leiden, de kerk zoals gebruikelijk in het midden, de ringvaart die langs het dorp loopt en vroeger dienst deed voor het vervoer van bieten en aardappelen die in de polders geteeld werden, en heel vroeger om de turf te vervoeren.

Katja zegt: 'Ik ken het hier ook wel, ik kom hier altijd tot rust. Er woont een tante van me, de enige zus van mijn moeder, tante Anneke. Ze woont niet in het dorp, maar aan een weggetje dat in het bos uit komt.'

Ze wandelen om het dorpje heen, zitten een poos op een bankje. De stilte tussen hen is goed, Katja wordt er rustig van.

'Katja,' begint Jan Willem na een hele poos van zwijgen. 'Ik begin je hoe langer hoe aardiger te vinden.'

'Mmm, aardig?'

'Ach, ik druk ik me verkeerd uit. Ik heb gemerkt dat ik van je ben gaan houden; als je niet bij me bent, verlang ik naar je, moet ik veel aan je denken, en jij?'

'Ik ...ik ... weet het nog niet, ik denk ook veel aan jou; bij alles wat ik doe of zeg denk ik wat jij daarvan vinden zou. Maar ik weet van mezelf dat ik wispelturig ben. Het ene moment denk ik dat je het echt bent voor me en het volgende ogenblik twijfel ik alweer.'

Hij slaat zijn armen om haar heen en trekt haar naar zich toe. Ze geeft zich er gewillig aan over, maar er komen mensen aan met een hond, hij laat haar los en gaat weer overeind zitten. Ze moeten er allebei om lachen.

'We doen net of dit verboden is,' zegt hij, maar Katja beseft door de aanraking dat er een elektrische schok over gesprongen is. 'Doe dat nog eens,' murmelt ze als de mensen voorbij zijn. Hij neemt haar maar al te graag weer in zijn armen. Hij kust haar, en ze kust hem terug.

De zon gaat onder, het wordt frisser. 'Zullen we naar mijn huis gaan?' vraagt Katja, als ze weer op de terugweg zijn.

'Ik zou moeten vragen of je met míj meegaat, ik heb wel mijn eigen kamer, maar moeder zit dan al te wachten. Ik wil haar er eerst op voorbereiden, vind je ook niet?'

'Laten we maar naar mijn huis gaan.'

Ze zijn weer bij de auto terug en met een slakkengangetje rijden ze naar Katja's flatje.

Het wordt laat die avond voordat Jan Willem naar huis gaat, opeens is er nog zoveel te bepraten.

'We hebben het er terloops over gehad, over kerkgang en zo.

Waarom schreef jij je in bij een christelijk relatiebureau, als je zegt dat je zo weinig affiniteit met het geloof meer hebt?' wil hij weten.

'Ik denk dat dat aan mijn opvoeding ligt. Mijn ouders zijn gelovige mensen, echt gelovig met heel hun hart, zal ik maar zeggen.

Bovendien voel ik naar de meisjes toe ook een verantwoordelijkheid, ze gaan naar een christelijke school, willen erover praten, maar dat kunnen ze met mij niet. Met hun vader wel, en daar ben ik dan weer jaloers op.'

'Lieve Katja, besef je wel dat jij God misschien losgelaten hebt, maar Hij jou niet?'

Ze schudt wat wrevelig haar haren naar achter: 'Begin alsjeblieft niet met vrome praatjes, daar heb ik geen behoefte aan, maar als jij naar de kerk wilt en de meiden willen mee, dan zal ik daar niets van zeggen.

Weet jouw moeder iets van ons?' gaat ze meteen op iets anders over.

Hij krijgt er zowaar een kleur van en schudt zijn hoofd. 'Ik heb niets tegen haar gezegd, ik dacht: als het niets wordt hoeft ze er niets van te weten. Heb jij het wel tegen je ouders verteld?'

'Ja, waarom zou ik niet? Ik heb mijn vader om raad gevraagd, maar ik doe toch wat ik zelf wil, zo ben ik wel,' zegt ze met haar neus in de lucht.

'Wat vonden zij ervan?'

'Ze waren wel blij dat ik een christelijk bureau ingeschakeld had; ze weten van me dat ik weinig op heb met het geloof en dan toch naar een christelijk bureau gaan, dat viel ze dus weer mee. Ze kennen me goed, ze weten dat ik niet alleen kan zijn, maar ze hebben me wel gewaarschuwd om goed te kijken wat voor iemand je bent.'

'En, héb je dat gedaan? Vind je dat ik ermee door kan?'

Hij neemt haar opnieuw in zijn armen en lange tijd wordt er niet meer gepraat.

Maar Jan Willem weet dat hij nog een dobber krijgt aan zijn moeder. Er is geen meisje goed genoeg voor hem, het liefst zou ze hem thuis houden. Dan zal een gescheiden vrouw met twee kinderen, die bovendien niet meer naar de kerk gaat, helemáál niet acceptabel zijn. Maar nu hij zeker weet dat hij Katja wil en geen ander, zal hij voor haar moeten vechten. Die gedachte probeert hij gauw uit zijn hoofd te zetten; hij is 32 jaar oud en kan zelf beslissen.

Het is al heel laat als hij naar huis gaat; ze hebben afgesproken dat ze binnenkort een bezoek brengen aan Astrid en Bert. 'Op zicht', zegt hij zelf.

Astrid en Mandy gaan de volgende middag op stap, wat boodschappen doen, winkels kijken, en naar oma.

Ze zit in de tuin met de poes op haar schoot en een grote hond aan haar voeten. Ze lacht als ze hen ziet. 'Astrid,' zegt ze, deze is blij verrast als haar naam er zo maar uit komt bij haar moeder.

'En wie is dit dan?' probeert ze, terwijl ze Mandy naar voren schuift.

'Dag lieverd, kom je oma eens een knuffel brengen.' Waarmee ze slim verbergt dat ze Mandy's naam niet meer weet. 'Ik kan niet opstaan, kijk, ik heb een poes en een hond, lief hè?'

Astrid is blij dat ze haar moeder hier zo aantreft.

Een eindje bij hen vandaan loopt een oude heer onkruid tussen de bloemen weg te halen, dat hij er ook wel eens een bloem uit trekt, schijnt hij niet te merken. Maar oma wel: 'Kijk eens wat je doet, je trekt de bloemen er uit,' zegt ze boos. De meneer lacht verlegen en gaat daarna weer door.

'Wilt u ook een kopje thee, dames?' vraagt een keurige oude mevrouw.

Verrast kijken Astrid en Mandy op. 'Alstublieft, mevrouw,'
Ze gaat weg en Mandy vraagt zachtjes achter haar hand: 'Zou ze echt komen met de thee?'
Oma heeft het gehoord: 'O ja, als mevrouw Van Leeuwen dat vraagt, dan doet ze het ook.'
Een poos later komt ze inderdaad met een wagentje waarop een theepot en kopjes staan. Een verzorgster kijkt alleen maar toe of het goed gaat.
'Wat leuk hè, dat dat allemaal kan, zo'n mevrouw zou misschien eenzaam op een kamer zitten als ze hier niet was.'
Oma roert vergenoegd in haar theekopje. 'Net thuis, hier, alleen zijn hier nog alle beesten ook.'
Ze zijn blij dat de oude dame hier zo gelukkig is.
Ze zet de poes van haar schoot en wenkt hen om met haar mee te gaan. 'Kom kijken,' zegt ze. Ze pakt haar rollator en gaat hen voor, naar de andere kant van de tuin. Er is iemand bij de bloemen bezig. 'Bloemen, eh ... stokrozen,' zegt ze, blij dat ze dat onthouden heeft.
De meneer die daar bezig is, lacht vriendelijk en zegt, op oma wijzend: 'Mijn vriendin.' Astrid kijkt haar moeder aan die stralend lacht.
'Een echte romance,' proest Mandy.
Ook bij het afscheid nemen reageert oma heel normaal, helemaal niet meer met dat huilerige, dwingende 'niet weggaan, hier blijven'. Ze loopt zelfs met hen mee om ze uit te zwaaien.
'Zo,' zegt Astrid met een zucht van opluchting als ze weer in de auto zitten. 'Wat ben ik blij dat het zo goed gaat, dat ze het zo naar haar zin heeft, het lijkt zelfs wel of ze minder dement is dan toen ze nog in haar eigen huisje zat.'
'Dat dacht ik ook. Ze reageerde heel normaal, heerlijk hoor. En die meneer ... "mijn vriendin", zei hij, oma keek heel gelukkig.'

'Laten we maar blij zijn dat het zo ook nog kan.'

'Zullen we kijken of tante Anneke thuis is? Het is wel een eindje om,' vraagt Mandy. 'Als jij niet te moe bent, tenminste' komt erachteraan.

'Ik vind het best, de vermoeidheid valt mee, ik kan echt merken dat ik elke dag wat sterker word, heerlijk hoor.'

Ze rijden richting het dorpje, eerst langs de ringvaart, en slaan daarna de weg in naar tante Annekes huis. Ze moeten van de weg af een onverhard pad op.

Het huisje staat daar heel mooi, vóór met uitzicht op de weilanden met schapen en kalveren en korenvelden, en achter haar huis begint het bos. Het is een mooi huisje, met een rieten dak, een voordeur in het midden en aan de twee kanten ramen met negen ruitjes. Het is helder geverfd. De muren wit en de deuren en ramen rood en groen. Er zitten zelfs luiken voor de ramen. Vroeger, toen ze klein waren, logeerden Mandy en Katja in de zomer altijd bij tante. Soms samen, maar Mandy vond het fijner om alleen met tante te zijn. Die verzon altijd de gekste dingen. Kamperen in de schuur was er één van. Picknicken in het bos was ook heel leuk. Dan doken ze eerst in de verkleedkist die op zolder stond en ze verkleedden zich tot dames van vroeger, die deftig met een parasol op buiten gingen eten, want stel je voor dat je mooie blanke huidje bruin werd.

Tante Anneke is thuis, ze treffen haar aan in de ouderwetse woonkeuken. Ze zit op de bank bij de tafel en kijkt niet op of om als ze binnenkomen. 'Anneke, zusje, wat is er?' vraagt Astrid verbaasd.

Verdrietig kijkt deze naar hen. Ze wordt boos en barst dan in huilen uit. Is dit Anneke? Anneke die altijd vrolijk en optimistisch is?

Mandy vraagt, terwijl ze een arm om haar tante heen slaat: 'Vertel het ons maar. Wat is er gebeurd?'

Anneke zakt weer op de bank neer en laat hun een brief zien.

Als ze die gelezen hebben, begrijpen ze waarom Anneke zo van streek is.

Al jaren is er sprake van een ringweg om de stad, die dan ook meteen om het dorpje heen gaat, zodat daar geen zwaar verkeer meer door hoeft. Nu heeft Anneke een tekening voor zich liggen waarop de ringweg is aangegeven ... Dwars door Annekes huis. Zeker dertig jaar, vanaf dat de stad begon te groeien, is er sprake geweest van die ringweg. Maar het ene na het andere plan werd verworpen, en nu dit ...

'Ze komen volgende week praten over onteigening,' snikt ze.

'Zou er echt niets aan te doen zijn?' vraagt ze naïef.

'Ik zal Bert wel vragen of hij het uitzoeken wil, misschien kan hij erbij zijn als ze komen praten.' Astrid probeert haar zusje te troosten. Ze kan zo goed begrijpen wat dit voor haar betekenen moet. Dit huis heeft ze jaren geleden als een bouwval gekocht en met hulp van vrienden, familie en kennissen opgeknapt. Anneke, die zelf heel handig is, is er meer dan een jaar in aan het werk geweest. Ze woont hier zo heerlijk rustig. Het dorpje met de allernoodzakelijkste winkels en de stad vlakbij, en nu ... Jaren is er over die weg gebakkeleid, dan zou hij hier komen, dan weer daar, zodat niemand meer geloofde dat het ooit nog door zou gaan. En nu opeens dit.

'Ga maar met ons mee, kun je er gelijk met Bert over praten, want anders blijf je hier in je eentje treuren of boos zijn,' zegt Astrid.

Annekes gezicht klaart wat op. 'Ja, dat doe ik, even mijn gezicht wassen.'

Die zondag na kerktijd is afgesproken dat Katja en Jan Willem bij haar ouders koffie gaan drinken. Katja heeft er bewust voor gekozen om dat deze zondag te doen, omdat de meiden dan bij Hugo zijn.

Jan Willem heeft er tegenop gezien; hij heeft nog steeds niets tegen zijn moeder gezegd. Hij weet hoe ze is, kent haar zo goed. Geen meisje is goed genoeg voor hem, ze wil eigenlijk niets liever dan dat hij niet trouwt en rustig bij haar thuis blijft. Met zijn vroegere vriendinnetje was het gauw voorbij. Dat meisje was afgekeurd door haar. Jan Willem denkt dat ze in haar hart blij was dat het uit ging.

Nu komt hij met een gescheiden vrouw met twee kinderen aanzetten. Hij moet er niet aan denken wat een herrie dat geven zal. Bovendien, en dat zal zijn moeder het ergste vinden, zegt Katja dat het geloof haar niets meer doet. Hij heeft de moed om er met zijn moeder over te praten nog niet gevonden.

Door Astrid en Bert wordt hij hartelijk ontvangen. Mandy is expres met haar vriendin meegegaan, ze snapt dat Katja haar er liever niet bij heeft.

Als de koffie op tafel staat en er even over het weer gepraat is, zegt Katja uitdagend: 'Dit is hij dan: Jan Willem Veenendaal.'

Die weet even niet waar hij kijken moet, maar Bert vangt het laconiek op: 'Dat dachten we al. Vertel maar eens wat over jezelf.'

Bob komt snuffelen en Jan Willem bemoeit zich met de hond. Hij strijkt hem over zijn kop, blij met de afleiding. Een beetje voor het blok gezet voelt hij zich wel.

'Mijn naam weet u al, en ik woon in de Vier Heemskinderen-straat. Daar zijn we komen wonen toen ik in groep zes zat. We kwamen uit Groningen, maar mijn vader werd hiernaartoe overgeplaatst.

Ik werk op een assurantieknatoor, heb een broer, die een camping in Frankrijk heeft en mijn zusje woont hier in de stad. Mijn vader is overleden. Ik woon nog bij mijn moeder, heb wel een paar vriendinnen gehad, maar heb nooit samengewoond.'

'Zo, dat is een heleboel informatie,' lacht Astrid. 'Wil je nog een kop koffie?'

'Ja, graag.'

Bert begint een gesprek over de dienst die ze vanmorgen in de kerk hadden, eens kijken of hij Jan Willem daarover aan het praten kan krijgen.

Dat lukt ook.

'Ik kerk in de Van Bosschestraat in de Vredeskerk. Mijn ouders gingen daar ook altijd heen en ik ben daar, misschien uit gemakzucht, blijven hangen. Soms denk ik dat ik wel eens verder zoeken wil. Ik ben het niet altijd eens met de prediking daar, maar ja, mijn moeder vindt het fijn als ik met haar meega, dus liet ik het maar zo.'

'Ik ken die gemeente niet, weet dus niet hoe daar gepreekt wordt, en kan er geen oordeel over geven. Die kerk is ook helemaal aan de andere kant van de stad,' zegt Bert, terwijl hij over zijn kalende schedel strijkt.

Astrid haalt de koffie op, Katja is haar achternagelopen naar de keuken, nieuwsgierig wat haar moeder van Jan Willem denkt.

'Nou mam, hoe vind je hem?'

'Om te zien is het een aardige verschijning, verder weet ik nog te weinig van hem om een oordeel te vormen.'

Er wordt later nog wat doorgepraat over het werk van Jan Willem. 'En de meisjes?' vraagt Bert dan bezorgd, want daar is nog met geen woord over gepraat.

'Mirthe en Sifra? Ik vind het geweldige meiden. Zo leuk en wijs; ze zijn gek op vertellen en voorlezen en ik doe niets liever. Ik lees mijn moeder vaak stukken uit de krant voor, ze kan niet zo goed meer zien. Daar praten we over, ook als ze dingen niet begrijpt.'

'Je moeder vindt het zeker wel gezellig dat je nog thuis woont?' vraagt Astrid. Bert kijkt eens goed naar zijn gezicht, en ja, hij bloost.

'Ja, ze heeft verder ook weinig, mijn zusje komt wel elke week een avond. Maar moeder komt bijna nergens meer, doordat ze slecht ziet en ook niet zo goed ter been meer is.'

Er wordt verder over koetjes en kalfjes gebabbeld, tot het tijd wordt om op te stappen.

'Hoe vond je het bij mijn ouders?' vraagt Katja, als ze naar haar huis lopen.
'Je vader lijkt me een sympathieke man, je moeder was wat stilletjes, is dat altijd zo?'
Katja schiet in de lach. 'Pa heeft meestal het hoogste woord en mam luistert, maar soms gooit ze er opeens een heel rake opmerking tussen.
Wanneer gaan we naar jouw moeder? Heb je het er al met haar over gehad?'
'Ze was de hele week al niet erg in orde, ze heeft een beetje last van haar hart en nu was ze er grieperig bij, dan is het dubbel vervelend voor haar.'
'Dan wachten we daar nog even mee, als ze opgeknapt is, hoor ik het wel. Jij wilt het toch ook?'
'Dolgraag, misschien dat het volgende week zondag kan.'
'Dan heb ik de kinderen thuis en het lijkt me niets om die meteen mee te nemen. Als het op een avond kan, dan kan ik wel oppas versieren.'
'Best, ik zal het zo gauw mogelijk bespreken; je hoort het wel.'

Een feit is dat zijn moeder nog helemaal nérgens van weet, ze heeft zelfs de naam van Katja nog niet gehoord. Hij moet zichzelf bekennen dat hij er vreselijk tegenop ziet om erover te beginnen. Maar hij voelt ook wel dat hij het niet langer uitstellen kan. Hij heeft er vanmorgen omheen gedraaid toen ze vroeg waar hij na kerktijd naartoe ging. Het zit hem allemaal niet lekker, maar hij besluit om er vanavond over te beginnen.

Het valt niet mee voor Jan Willem, die avond. Zijn moeder kijkt al bezorgd als hij zegt dat hij iemand heeft leren kennen waar hij mee verder wil. Ze heet Katja.

Dan komen de vragen van haar kant: Hoe lang ken je haar al, is ze wel van onze kerk, is ze van jouw leeftijd, hoe heb je haar leren kennen? Allemaal vragen achter elkaar. Als Jan Willem verder gaat, wordt haar gezicht hoe langer hoe donkerder, uiteindelijk staat het op storm.

Hij houdt zijn handen voor zijn oren en zegt: 'Als u even luistert, zal ik alles uitleggen.'

'Ja, maar ...'

'Stil,' zegt hij gebiedend en dat helpt.

Maar als hij daarna alles eerlijk vertelt zonder er doekjes om te winden: een gescheiden vrouw met twee kinderen, wel uit een gelovig, kerks gezin, maar zelf doet ze er niet veel meer aan, dan barst ze bijna van nijd. 'Je begrijpt wel dat dat niets worden kan,' zegt ze, met de lippen stijf op elkaar geknepen.

'Dat wordt wél wat,' zegt hij zo rustig mogelijk. 'Ik ben 32 jaar en ik begrijp al uw bezwaren, ik heb het er in het begin ook moeilijk mee gehad, maar hoe langer ik haar ken, hoe vaster ik ben gaan geloven dat we voor elkaar bestemd zijn.'

'Hoe kún je het zeggen, een gescheiden, niet-gelovige vrouw. Je mag geen juk aan trekken met een ongelovige, staat er in de Bijbel, en twee geloven op één kussen, daar slaapt de duivel tussen.'

'Dát staat niét in de Bijbel. Ik denk zelfs dat het voorbeschikt is dat ik haar ontmoet heb. Haar kindertjes, waar u nog geen woord aan gewijd hebt, gaan op een christelijke school, hun vader leert hen bidden en Bijbellezen.'

'En hij is er met een ander vandoor!'

'Moeder, dat maakt ú ervan ...'

'O, het is dus die Katja die de fout in ging.'

'U heeft uw oordeel al klaar voordat u ergens van weet.'

Met een boos gezicht en saamgeknepen lippen staat ze op: 'Ik ga een glas melk drinken en daarna naar bed en jij belt haar morgen op dat het niets worden kan.'

'Moeder, dat kunt u niet menen. Ik ben geen klein kind meer, ik wil Katja en niemand anders. Ik had willen vragen of ik van de week op een avond haar aan u voor mocht komen stellen ...'

'Nee, nooit,' ze laat hem niet eens uitspreken, maar begint opeens heel zielig te huilen. 'En ik dan, Jan Willem, wat moet ik dan, je kunt je moeder toch niet in de steek laten? Je weet hoe slecht ik zien kan en hoe moeilijk ik loop. En o, mijn arme hart. Als jij weggaat, heb ik niemand meer.'

'Wie zegt dat ik u in de steek laat? U krijgt er juist een fijne schoondochter en twee schatten van kleindochters bij. Bovendien kunt u hulp krijgen van de thuiszorg, maar daar wilde u nooit aan, omdat u geen vreemden in uw huis wilt.'

'Dat wil ik nog steeds niet, jij verzorgt me prima en waar moet je dan wonen? Je hebt geen huis, of, o, wacht 's, zij heeft natuurlijk een huis, ga je soms samenwonen?'

'Moeder, schei toch uit, zover zijn we nog lang niet, daar hebben we niet eens over gepraat.'

'Maar ik blijf hier alleen achter.'

'Is dat niet normaal? "Een man zal zijn vrouw aanhangen, en die twee zullen tot één vlees worden", weet je wel, dat staat óók in de Bijbel.'

'Ik zeg je dat die vrouw hier niet in huis komt, nooit, maar jij bent altijd welkom.'

'Dus u dwingt me om met haar te gaan samenwonen of heel gauw te trouwen? U begrijpt wel dat ik zo niet meer hier wonen wil.'

Ze draait zich om zonder nog een woord te zeggen en gaat naar haar slaapkamer.

De volgende ochtend belt Jan Willem naar Katja: 'Kan ik vanavond komen praten?'

11

Bert is met Anneke wezen praten bij de gemeente. Ze hebben het hele plan voor de ringweg bekeken en inderdaad, de weg gaat dwars door Annekes huis. 'Maar u staat niet met lege handen,' wordt haar verzekerd, wij kopen het huis en de grond van u, zodat u ergens anders iets kunt kopen of laten bouwen. U krijgt een aardig kapitaal in handen.'
'Maar,' zegt Anneke koppig, 'dat wil ik nou juist niét. Ik zit daar al jaren, heb het opgeknapt van bouwval tot het paleisje dat het nu is. Het is een uniek stukje grond, met zeldzame bomen en planten, en het watertje dat erlangs loopt, trekt allerlei vogels. Ik wil daar juist niet weg.'
Bert probeert ook nog iets te redden, schermt met natuurbescherming, uniek plekje, mag voor het nageslacht niet verloren gaan, maar nee, er is al zolang gepraat en telkens was er weer een nieuwe optie, die om de een of andere redem toch niet door kon gaan, dus nu is men vastbesloten.
'Kom mee, Bert,' zegt ze, ze wil niet laten merken dat ze inwendig huilt van woede en verdriet. Dat komt pas als ze weer in de auto zitten. Dan barst de bui los.
Bert slaat zijn arm om haar heen, hij heeft er geen woorden voor, hij kan zo goed begrijpen dat dit voor haar een enorme teleurstelling is. 'Ga maar mee, misschien dat Astrid je een beetje opbeuren kan.'
Ze komen gelijk met Lennard aan. 'Goed dat ik je thuis tref, pa. Hé, tante Anneke, wat is er gebeurd? Je hebt gehuild.'
De tranen beginnen alweer te stromen.
Astrid komt hen in de gang tegemoet. 'Alles tevergeefs?' vraagt ze.
Lennard kijkt verbaasd van de een naar de ander. 'Wat is dit hier allemaal?' Hij weet nog niets af van Annekes huis en alle moeilijkheden daaromtrent.

Bert vertelt hem in het kort wat er aan de hand is.

'Maar, tante Anneke, moet je dáár nou zo verdrietig om zijn? Is dat nou zo erg? Dan ga je toch voor die centjes wat moois uitzoeken? En daarbij, we hebben hier geen blijvende stad, zoals de Bijbel dat zo treffend zegt.' Ironisch komt dat eruit.

'Bah, wat vind ik dat een rotopmerking van je,' zegt Astrid. Tot haar verbazing moet Anneke er nog om lachen ook. Een waterige glimlach, maar toch.

'Je hebt gelijk, Len, zover heb ik nog niet eens gedacht, maar ik vind het wel erg dat mijn huis tegen de grond gaat.'

'Dat kan ik me best voorstellen, het is een uniek plekje en de nostalgie komt er ook bij om het hoekje kijken. Maar we zullen met elkaar best een goeie oplossing voor je vinden, er zijn nog wel meer mooie plekjes, ook in de randstad.'

Astrid komt met een blad met mokken koffie binnen, haar remedie in allerlei omstandigheden.

'Laat ik nou wat lekkers meegebracht hebben voor bij de koffie,' zegt Lennard, 'ik liep langs bakker Van Buren en zag die lekkere koeken die we vroeger zondags altijd kregen.' Hij zet het zakje op tafel.

'Hoe is het met Iemke, en Lobke en Bas? Is Bas weer beter van die vervelende waterpokken?' wil Astrid weten.

'Hij heeft alleen hier en daar nog wat lelijke plekjes in zijn gezicht, wacht ik heb een foto van hem, met waterpokken en al. Ook heb ik er een stel bij laten maken, die krijg je binnenkort van Iemke, pa.'

Anneke is een beetje tot rust gekomen; dat zo'n man als Lennard, zo'n spotter met alles, haar nu op het goede been moest zetten. Want natuurlijk is het vreselijk om haar huisje kwijt te raken. Maar er bestaan ook veel ergere dingen, al is ze daar niet mee geholpen. Ze moet toch ook niet zo hechten aan aardse dingen?

Maar ergens anders een plekje zoeken … Ze krijgt een mooi bedrag, dus ze kan kieskeurig zijn. Anneke is optimistisch van aard, ze begint alweer lichtpuntjes te zien.

'Niet boos, tante An?' vraagt Lennard.

Ze lacht naar hem en schudt haar hoofd. 'Boos? Nee, ik begin mezelf weer een beetje in de hand te krijgen.'

'Hoe was het zondag?' verandert Lennard van onderwerp. 'Katja is toch met haar nieuwe vriend op zicht geweest?'

'Op zicht …,' zegt Astrid. 'Maar ja, ze zijn hier geweest. Het lijkt me een aardige man, we hadden een leuk gesprek en verder is het afwachten. Je kunt er nog niet zo veel van zeggen. In zijn voordeel is dat hij leuk met Mirthe en Sifra omgaat. Hij heeft hun hartjes al gestolen, volgens Katja.'

'Dat is juist wat die kinderen nodig hebben, want ik vind Katja niet altijd even aardig met hen omgaan, ze heeft ook helemaal geen geduld.'

'We moeten maar zien wat het wordt, wij kunnen er toch niets aan doen. Als Katja iets wil, doet ze het, en dit lijkt me niet verkeerd.'

'Is hij nog een beetje christelijk? Want ik geloof dat Katja ook een beetje losgeslagen is van haar wortels.'

Astrid wil hem van repliek dienen, ze weet hoe slecht Bert tegen deze opmerkingen kan. Zelf vindt ze het ook niet leuk, het is vaak zo opzettelijk kwetsend. Maar Bert is haar al voor: 'Je kunt dit ook op een andere toon vragen. Maar voor zover we het beoordelen kunnen, is hij een gelovige man. Misschien kun jij het niet begrijpen, maar ze heeft zich wel bij een christelijk relatiebureau in laten schrijven.'

'Dat had ik niet van haar verwacht. Gaan ze samen in Katja's flatje, en gaan ze trouwen of samenwonen?'

Astrid lacht en zegt: 'Welnee, zover zijn ze nog niet, ze waren ook nog niet bij Jan Willem thuis kennis wezen maken. We horen het wel, we wachten gewoon af.'

Die avond gaat Jan Willem naar Katja. Hij heeft gevochten en geworsteld vanwege het gesprek met zijn moeder, hij ligt met zichzelf overhoop. Kan hij zijn moeder alleen laten? Hij begrijpt dat hij moet kiezen, Katja of zijn moeder. Wil hij die breuk met haar? Maar hij bedenkt dat zijn vorige relatie ook al stukgelopen is door het gestook van zijn moeder. Wat is er normaler dan dat hij op 32-jarige leeftijd de deur uit gaat en een eigen huishouden op zet? Misschien draait ze nog wel bij, denkt hij optimistisch.

Hij is eerst verliefd geworden op Katja, juist om haar open-hartigheid, en nu houdt hij heel veel van haar. Hij wil haar niet meer kwijt, al deze gedachten stormen door hem heen, hebben hem de hele nacht al uit zijn slaap gehouden. Maar moeder, zo alleen?

Hij is opzettelijk vroeg naar Katja gegaan, zodat hij Mirthe en Sifra nog even zien kan. Die stormen op hem af en vliegen hem om de nek. Wat is hij in die korte tijd van die meiden gaan houden en zij van hem, blijkt wel. 'Ik moet jullie moeder spreken,' zegt hij quasi-ernstig.

'Eerst met ons spreken,' eist Mirthe.

Sifra zegt: 'Ja, voorlezen, spelletjes doen.'

'Even aan mamma vragen hoe laat jullie naar bed moeten.'

'Over een halfuurtje,' zegt Katja, lachend. Ze houden nog meer van jou dan ik, denkt ze. 'Komt goed uit, want ik moet nog afwassen.'

Mirthe komt al gauw met haar sprookjesboek: 'Eerst van Sneeuwwitje en dan nog een verhaal van Noach en de ark.'

'Maar ook nog een spelletje,' bedingt Sifra.

'Gaan jullie je dan maar uitkleden, pyjamaatjes aan, tanden poetsen en dan nog een halfuurtje voorlezen en een spelletje. Maar daarna zonder mopperen naar bed.'

'Ja, mam, goed mam.' Ze vliegen al naar boven.

Jan Willem geniet er net zo van als de kinderen.

Als ze er om half negen eindelijk in liggen en Katja en Jan Willem achter een mok koffie in de huiskamer zitten, kijkt ze hem onderzoekend aan. 'Is er iets? Je klonk zo bedrukt toen je belde, vanochtend. Heb je je bedacht? Zeg het dan meteen maar.'

Het blijft even stil. Katja kijkt hem onderzoekend aan. Hij heeft alleen aandacht voor zijn koffie, die hij bekijkt of hij nog nooit koffie geproefd heeft.

'Wat is er?' zegt ze, ongerust.

Hij kijkt haar aan en in zijn ogen ziet ze woede en verdriet.

'Zeg het dan,' dringt ze aan.

'Mijn moeder ...' begint hij.

'Wát je moeder, is ze ziek?'

'Nou, ziek ... ja, misschien wel.'

Dan barst hij opeens los: 'Ik hou van haar, heel veel, maar dit keer laat ik me niet meer door haar manipuleren. Het is nu genoeg. Ze heeft net zolang zitten stoken tot mijn vorige relatie stuk liep, maar nu kies ik voor mezelf en dus voor jou. Eindelijk zijn mijn ogen open gegaan. Maar hoe moet het nu verder?' vraagt hij hulpeloos.

Katja zit te friemelen aan een plant die op tafel staat. Ze plukt er een blaadje af, dat ze kneust tussen haar vingers.

'Vertel eerst eens alles, zet het op een rijtje, dan komen we er misschien wel uit.'

Hij begint met te vertellen dat hij tot gisteren toe nog met geen woord over haar, Katja, gerept heeft tegen zijn moeder.

'Dom,' reageert ze, 'je had beter meteen kunnen vertellen wat er aan de hand is. Maar ga verder.'

Hij vertelt dat hij steeds weer gezwicht is voor zijn moeder, ook tijdens zijn vorige relatie, en als hij af en toe een vriendinnetje had, maar elke keer als hij met haar afgesproken had, moest hij het weer afzeggen omdat zijn moeder zich zo naar voelde, bang was dat ze een hartaanval zou krijgen. Of ze had juist die avond met tante Jo afgesproken, dan moest hij rijden. Met stijgende verbazing heeft Katja geluisterd. 'Bestaat zoiets nog in deze tijd?' vraagt ze ongelovig, 'ik dacht dat die toestanden na de Eerste Wereldoorlog verdwenen waren!'

'Ik zie nu wel in dat ik veel te toegeeflijk geweest ben, ik was zo bang om haar pijn te doen en daar heeft ze misbruik van gemaakt. En ja, zoiets bestaat nu nóg.'

'Ik ga eerst een glaasje wijn in schenken, of heb jij liever een pilsje? Ik moet dit even verwerken,' zegt Katja, terwijl ze naar de keuken loopt. Als ze daar is, moet ze even bijkomen; zie je wel dat ze in de goede richting gedacht heeft, maar dat het zo ernstig zou zijn, had ze niet verwacht.

Als ze even later met een blaadje met twee glazen wijn en schaaltjes met zoutjes en noten binnenkomt, zegt ze: 'Moet je nu vanavond weer naar huis en gewoon doen alsof er niets gebeurd is?'

Hulpeloos haalt hij zijn schouders op. 'Wat moet ik anders?'

'Hier blijven slapen,' stelt Katja voor. 'O, keurig netjes hoor, ik heb op het rommelkamertje een vouwbed staan. Ik doe je geen oneerbaar voorstel, hoor,' zegt ze als ze naar zijn gezicht kijkt. 'Verder zien we wel. Je kunt hier je intrek nemen, maar ongehuwd samenwonen zul jij, met jouw opvattingen, niet willen?'

'Nee, maar ik wil wel zo gauw mogelijk trouwen. Ik weet nu heel zeker dat we voor elkaar bestemd zijn, dat is me door het gesprek met mijn moeder duidelijk geworden. Ik hou van je, ik wil je niet meer kwijt.'

Daar moet Katja toch eerst nog even over nadenken.

'Moet je haar dan niet bellen dat je vanavond niet thuis slaapt? Anders wordt ze ongerust,' zegt ze wat cynisch.

'Zal ik dat maar doen?' aarzelt hij.

'Nou, als jij je daar goed bij voelt, dan doe je dat, maar reken

er wel op dat je moeder boos of zielig reageren zal.'
'Dat risico neem ik dan maar, het is trouwens wel laat, misschien is ze al naar bed. Ik probeer het.'
Zijn moeder neemt onmiddellijk op. 'Waarom bel je zo laat?'
'Omdat ik bij Katja blijf slapen, en ...'
Ze legt zonder nog een woord te zeggen de telefoon neer.
'Zo, dat weten we dan ook weer,' reageert hij.
Jan Willem staat op en loopt een tijdje te ijsberen door de kleine kamer, dan staat hij stil voor Katja, trekt haar omhoog uit de stoel en grijpt haar handen vast. Hij kijkt haar recht in de ogen: 'Wil jij me eigenlijk nog wel? Ik heb nog nooit gezegd dat ik zoveel van je ben gaan houden. Misschien wil jij helemaal niet verder met zo'n waardeloze vent als ik ben. Maar lieve Katja, wil je met me trouwen?'
Katja slaat haar ogen niet neer, ze zegt, heel eerlijk: 'Als je maar nooit naar mijn pijpen danst zoals je bij je moeder deed. Ik heb iemand nodig die me terugfluit als dat nodig is, iemand die soms tegen me in gaat. Dat heb ik bij Hugo geleerd, hij was veel te goed voor me. Snikkend zegt ze: 'Maar ik kan je niet missen, nu al niet meer.'
Ze omhelzen elkaar. Zijn armen zijn vast om haar heen, haar hoofd ligt tegen zijn schouder. Zo staan ze een hele poos.
Het is al heel laat als Katja het bed in het rommelkamertje op gaat maken.

12

Het is een prachtige lentedag in april. De trouwdag van Katja en Jan Willem. Ze hebben besloten om er geen groot feest van te maken.

Katja denkt terug aan de dag dat ze met Hugo trouwde, toen wilde ze een prachtige, witte bruidsjapon, twee bruidsmeisjes, een grootse receptie en een diner voor de familie. Zo wil ze het nu zeker niet. Jan Willem ook niet, want hij is nog steeds niet met zijn moeder verzoend. Hij heeft er alles aan gedaan, haar een brief geschreven waarin hij eerlijk verteld heeft over Katja en de kinderen. Over Katja's scheiding, maar ook dat hij zijn moeder om vergeving vroeg om wat hij haar aangedaan had. De brief kwam ongeopend terug. Hij heeft verschillende keren opgebeld, maar er werd óf niet opgenomen, óf zodra zijn moeder zijn stem herkende, meteen neergelegd.

Daarom hoeft het voor hem ook geen uitbundig feest te worden.

Katja heeft een pakje gekocht dat ze later ook dragen kan, Jan Willem is in het grijs.

Met zijn auto zijn ze naar het gemeentehuis gereden. Mirthe en Sifra zijn zo trots als een pauw in hun mooie jurkjes, die Astrid voor hen gemaakt heeft.

Daarna gaan ze naar een van de zaaltjes van de kerk, met een klein aantal mensen. Katja's naaste familie en tante Anneke natuurlijk. Iemke en Mandy zijn haar getuigen. Voor Jan Willem zijn twee vrienden getuigen. Zijn zusje is er met haar gezin; zij kan ook niet begrijpen waarom moeder zo volhardend moeilijk blijft doen. Ze heeft enkele pogingen gedaan om te bemiddelen, maar haar moeder wilde niet eens luisteren. 'Ik weet niet waar je het over hebt. Je broer? Die ken ik niet.' Vreselijk vond ze het.

Er zijn behalve de familie ongeveer twintig mensen aanwezig. Waarom Katja toch voor een kerkelijke inzegening kiest? Misschien nog de restanten van haar opvoeding. Of doet ze dit alleen om de sfeer? vraagt ze zichzelf af. Nee, dat zeker niet; maar ze wil toch niet trouwen zonder Gods zegen. Zo dubbel is ze, echt Katja. Ook voor de kinderen wil ze het zo. Jan Willem wilde zijn huwelijk zéker niet beginnen zonder de zegen van de Heer.

De dominee is een jonge man, die een paar keer bij hen is wezen praten. Wonderlijk genoeg gaf Katja de tekst aan: Psalm 23, de Heer is mijn Herder, dat zingen Mirthe en Sifra graag, ze hebben het geleerd van een cd van Elly en Rikkert: Jezus is de goede Herder, Jezus Hij is overal!

Jan Willem had haar verbaasd aangekeken. Toch blij dat ze zo positief is.

De meisjes zitten elk aan een kant van het bruidspaar, ze genieten zichtbaar van alle aandacht. Mirthe kan het niet laten om even haar tong uit te steken naar Lobke, die jaloers is omdat zij geen bruidsmeisje mag zijn. Maar ze mag straks wel helpen met bloemetjes strooien.

Na de inzegening is er, in diezelfde kerk, gelegenheid om te feliciteren.

's Avonds volgt er een intiem dineetje. Een van de vrienden, de getuige van Jan Willem, is helemaal geobsedeerd door Mandy. Met een schok heeft hij ontdekt dat ze een zusje van Katja is.

'Had je me niet kunnen vertellen dat je zo'n mooie schoonzus krijgt?' fluistert hij Jan Willem in.

Die lacht alleen maar. 'Wat let je?' zegt hij dan.

Als de jongen aan tafel naast Mandy zit, staat hij helemaal in vuur en vlam. Van verlegenheid weet hij alleen geen zinnig woord tegen haar te zeggen en geeft schaapachtig, eenlettergrepige antwoorden. Zou ze geen vriend hebben? vraagt hij zich af, anders zou die toch ook aanwezig zijn. Hij durft het haar niet te vragen.

'Ik ben Rob, hoe heet jij ook weer?' Hij weet het best, maar hij moet toch érgens beginnen.

Toen hij Mandy 's middags zag, voelde hij zich heel blij worden. Hij heeft tijdens de kerkdienst al vaak een oogje aan haar gewaagd. Toen hij haar de eerste keer zag zitten en helemaal niet wist wie ze was, ging er een schok door hem heen. Dat meisje wordt mijn vrouw, dacht hij. Later heeft hij zichzelf uitgelachen om die gedachte. En nu zit hij zomaar, zonder het gezocht te hebben, naast haar.

'Ik ben Mandy, ben jij een vriend van Jan Willem?'

'Ja, we zijn al vanaf de middelbare school met elkaar bevriend. We zijn samen op kamp geweest en later hadden we de leiding over een jongerenclub, waarmee we ook gingen kamperen, en op zaterdag gingen we fietsen, gewoon de natuur in. Heb jij geen vriend?' vraagt hij plompverloren aan Mandy, die er stiekem om moet grinniken. 'O, ja hoor,' antwoordt ze onschuldig. 'Wel een stuk of tien.'

'Tien! Hoe bedoel je?'

'We hebben een jeugdclub van de kerk, we zijn met ongeveer twintig jongelui, tussen de negentien en dertig jaar. We hebben het erg leuk met elkaar.'

Hij is meteen geïnteresseerd, wil er alles van weten.

Mandy vertelt wel, ze vindt het wel leuk.

'Wanneer is die club? En waar wordt hij gehouden?' Hij heeft een kleur gekregen van zijn moed.

'Op zaterdagavond, in een zaaltje achter de kerk.'

'De kerk waar Jan Willem en Katja getrouwd zijn?'

'Ja,' zegt Mandy met pretlichtjes in haar mooie, donkere ogen. Vader Bert staat op en spreekt het bruidspaar toe, hij is geen man van veel woorden, dus met een paar zinnen is het hem wel goed.

Wat later bedankt Jan Willem iedereen die hen zo verrast heeft op deze dag.

Een paar dagen later gaat de telefoon, Astrid is alleen thuis.

'Mevrouw Verhoef, u spreekt met Rob van der Meer, is Mandy thuis?'

Astrid moet lachen om zijn bedeesde toon; Mandy heeft al over hem verteld.

'Nee, Mandy is nog aan het werk.'

'Mag ik vanavond nog weer bellen, zal ze dan thuis zijn?'

'Nee, want ze moet om acht uur naar pianoles.'

'Dan probeer ik het later nog wel eens,' zegt hij, maar hij heeft al een ander plannetje in zijn hoofd.

Hij zal om kwart voor acht op de stoep staan, dan zal hij haar zeker kunnen spreken, hij heeft al die dagen nergens anders aan kunnen denken, dan aan Mandy, Mandy. Hij heeft in de kerk rondgekeken of hij haar zag, maar ze was naar een andere kerk, waar het zoontje van haar vriendin gedoopt werd.

Astrid wil niet tegen Mandy zeggen dat Rob gebeld heeft, ze zoeken het maar uit, denkt ze.

En ja hoor, als Mandy om tien voor acht met haar tas naar buiten stapt, staat Rob daar. 'Mag ik met je meelopen?' vraagt hij stuntelig.

'Wel ja, je loopt op je eigen benen, maar het is maar twee straten verder, ik ga naar pianoles.'

'Tot hoe laat duurt dat, mag ik je dan komen halen?'

Mandy heeft pret om zijn onzekerheid en zegt: 'Om kwart over negen ben ik klaar.'

'Tot straks,' zegt hij, want ze staan al bij de pianoleraar op de stoep.

Ze moet er stiekem een beetje om lachen; waar vind je in deze tijd nog zulke bedeesde, beleefde jongens? denkt ze. Maar vooruit, het lijkt wel een leuke knul en hij is wel niet uitgesproken knap, maar hij heeft wel iets wat haar aantrekt. Mooie, helderblauwe ogen, zijn stem vindt ze ook mooi, een van de eerste dingen waar Mandy op let. Hij is tamelijk fors gebouwd en een stuk groter dan zij. Ze heeft zich altijd voorgenomen: ik wil geen jongen die kleiner is dan ik.

Gekke gedachten allemaal, alsof ze op trouwen staan, ze kent hem amper.

Nu eerst haar gedachten bij de les. Ze heeft goed gestudeerd deze week en ze heeft er echt zin in. Ze is muzikaal. Op de avonden van de jeugd zingen ze vaak gospels, die zij begeleidt.

Prompt om kwart over negen staat hij voor de deur, het duurt nog even voordat ze komt.

'Hallo,' zegt ze, 'daar ben ik dan.'

'Zullen we nog een stukje omlopen? Het is gelukkig droog, geef je tas maar, die zal ik wel dragen.'

'De galante ridder,' lacht ze.

Mandy kwebbelt wel, maar als Rob bijna niets terug zegt, is ze ook stil. 'Waarom zeg je niks?' vraagt ze verbaasd.

Hij schiet in de lach en zegt: 'Hoe kan ik nu praten als jij aan het woord bent?'

'O, sorry hoor, ja, ik ben een onverbeterlijke klets, zeggen ze thuis altijd. Maar goed, nu mag jij aan het woord.'

'Ik wil je graag beter leren kennen, ik vond je leuk, toen op de bruiloft van je zus. Ik had je in de kerk ook al een paar keer gezien.'

'Ik kan me niet herinneren dat ik jou eerder gezien heb, ik ga ook niet altijd hier naar de kerk, ga nogal eens met mijn vriendin naar een evangelische gemeente. Heerlijk zingen en de sfeer is er fijn. Bij ons in de kerk zijn veel oudere mensen, en dáár zijn veel jongeren. En ja, ik wil best nog eens afspreken met je.'

Als ze bij Mandy's huis aangekomen zijn, vraagt Rob: 'Mag ik je een kus geven?'

Welke jongen vraagt dat tegenwoordig nog? Ze doen het gewoon, denkt ze. Ze keert hem haar wang toe en daarna zoent ze hem ook.

Ze vertelt nog niets thuis, maar als ze in bed ligt, moet ze steeds aan Rob denken, ze vindt hem leuk, gaaf, maar wil ze verkering? Of is hechte vriendschap genoeg? Ze heeft al eens eerder een vriendje gehad, maar die heeft nooit zoveel indruk op haar gemaakt als deze Rob nu.

Als ze veel later in slaap valt dan gewoonlijk, droomt ze dat Rob en zij in een drukke winkelstraat lopen, ze gaan een groot gebouw binnen. Het is er griezelig, er zijn geen ramen en de deuren ziet ze ook niet meer. Het is er opeens pikdonker.

Rob is ook weg, ze valt in een heel diep gat. Ze gilt: Rob, waar ben je? Kom me halen, ik ben zo bang. Ik kan niet meer overeind komen.

Maar dan begint de wekkerradio te spelen en is het tijd om op te staan. Verdwaasd kijkt ze rond, ze ligt in haar eigen slaap-kamer, in haar eigen bed. Gelukkig heeft ze alleen maar gedroomd.

Ze draait zich om, nog vijf minuutjes, zo heeft ze de wekker afgesteld, dan moet ze er echt uit.

Op de dagen die volgen, stelt Mandy verbaasd vast dat ze bezig is echt verliefd op Rob te worden. Hij heeft haar verteld dat hij 26 is, zijzelf is 23.

Ze zien elkaar vaak en Rob krijgt steeds meer zekerheid dat het waar is wat hij de eerste keer in de kerk gedacht heeft: Zij is het, met haar wil ik verder, maar hij weet nog niet zeker of Mandy dat ook wil.

Op een avond passen ze op de baby van een vriendin van Mandy.

Ze hebben fijne gesprekken, ook over God en over het geloof, en het blijkt dat ze over allerlei dingen hetzelfde denken.

Die avond komt hij er eindelijk toe om Mandy te vertellen wat er, de eerste keer dat hij haar zag, door hem heen gegaan is.

'Mandy, ik moet je wat vertellen.'

Bevreemd kijkt ze hem aan, hij zegt het zo ernstig. Heeft hij zich bedacht, heeft hij een of andere ernstige ziekte, wil hij emigreren? In een seconde vliegen al die mogelijkheden door haar gedachten.

'Weet je dat ik jou in de kerk voor het eerst zag? Toen dacht ik, terwijl ik je helemaal niet kende: Dat meisje wordt mijn vrouw.'

Mandy is eerst even sprakeloos, ze schiet er gewoon vol van.

'Hoe kan dat nou?' wil ze weten.

'Dat weet ik ook niet, maar toen ik je zag op de trouwerij van Katja en Jan Willem, dacht ik: Dat kan geen toeval zijn, en toen mijn plaats ook nog naast jou was, was ik helemáál in de wolken.'

'Dus jij bent heel zeker van mij? Ik bedoel dat jij nu al weet dat je van me houdt?'

'Ik weet het heel zeker Mandy: jij en niemand anders. Ik ben gek op je. Of,' hij schrikt ervan, 'weet jij nog niet of je echt van me houdt?'

Ze zitten naast elkaar op de bank; zou hij zijn arm om haar heen slaan. Haar zoenen?

Hij durft het nog niet goed.

'Ik heb wel een paar keer een vriendje gehad, maar ik merk nu dat ik alleen maar aan jou kan denken en er alweer naar verlang om je weer te zien. Is dat houden van? Betekent het dat jij dé grote liefde voor mij bent?'

Nu kan hij zich niet langer bedwingen, hij slaat zijn arm om haar heen, trekt haar naar zich toe en legt zijn handen om haar gezicht. Voorzichtig kust hij haar op allebei haar wangen,

maar als zij zijn kussen beantwoordt, zijn woorden overbodig.
Maar dan horen ze de baby huilen. Hij laat haar los, maar blij
vraagt hij: 'Is het ja, Mandy?'
'Lachend zegt ze: 'Eerst eens kijken wat de baby wil.'
Even later zitten ze gedrieën op de bank, de baby drinkt de
fles leeg en vertederd kijkt hij toe. 'Het lijkt wel of we vader-
tje en moedertje aan het spelen zijn.'
'Hoeveel vriendinnetjes heb jij gehad?'
'Eén, toen ik zes jaar was; ik durfde zonder haar, mijn buur-
meisje, niet naar school. En verder heb ik alleen op jou
gewacht, terwijl ik niets van je af wist, maar die keer in de
kerk wist ik zeker dat jij het was en niemand anders.'
Als de baby de fles leeg heeft en een schone luier om, brengen ze hem samen weer naar zijn bedje, zijn oogjes vallen
meteen dicht.
Ze kruipen weer in elkaars armen. 'Ga je zondag uit de kerk
mee? Ik wil je zo graag aan mijn ouders voorstellen.'
'Ga jij maar eerst mee naar míjn ouders, mijn moeder heeft
allang door dat ik verliefd ben.'
Daar kibbelen ze nog een poosje over door, ze besluiten ten
slotte om eerst naar Astrid en Bert te gaan.
Als de ouders van de baby thuiskomen, zeggen ze meteen als
ze naar het stel op de bank kijken: 'Zo, is hier iets te vieren?'
Johan haalt meteen een fles wijn tevoorschijn: 'Daar moeten
we even op klinken,' zegt hij.
Als Mandy 's avonds naar bed gaat, bedenkt ze dat ze de
gelukkigste mens op de wereld is. Ze knielt voor haar bed en
vloeit over van dankbaarheid.

13

Er is een aantal jaren voorbij gegaan. Vader Bert is met de VUT gegaan. Het ging de laatste tijd heel slecht op de zaak, er moesten ontslagen vallen, toen raadde de baas Bert aan om maar vervroegd uit te treden, vrijwillig. Hij had liever tot zijn pensioen doorgewerkt. Eigenlijk weet hij zich geen raad met zijn tijd.

Ze zitten voor het eerst dit jaar in de tuin, het bankje is de hele winter blijven staan. Astrid heeft er een doekje over gehaald en er een kussen op gelegd. 'Heerlijk, de zon op je gezicht,' zegt ze.

Bert bromt wat terug. Hij is vaak geprikkeld sinds hij niet meer werkt. Over de kleinste dingen valt hij, terwijl dat toch zijn aard niet is.

Soms loopt hij Astrid echt voor de voeten. 'Man, ga toch eens wat doen, je hebt zoveel hobby's waar je nooit tijd voor had. Modelschepen bouwen, je levensverhaal opschrijven, fietsen, wandelen, lezen. In de tuin werken. Je kunt overal vrijwilliger worden, maar jij zit hier te hangen en je bemoeit je met de kleinste dingen, snap je niet dat ik daar soms dol van word? Als ik ga zwemmen, doe je alsof ik je een groot onrecht aan doe door weg te gaan zonder jou. We zouden ook reizen gaan maken, weet je nog? En steeds die aanmerkingen op mijn manier van werken; ik heb het mijn leven lang zo gedaan en nu moet jij opeens op alle slakken zout leggen.'

Bert buigt schuldbewust zijn hoofd. 'Ik weet het, lieve Astrid, heb alsjeblieft nog wat geduld met me. Ik voel me 's morgens als ik uit bed kom al zo doelloos en nutteloos, ik verlang ernaar om op tijd op te staan en gewoon naar mijn werk te gaan, snap je dat? Het is een deel van mijn leven dat voorbij is, dat komt nooit meer terug.'

'Ik begrijp je heel goed, maar dat is verleden tijd, dat komt inderdáád niet meer terug. Maar heb je al die talenten dan gekregen om ze in de grond te stoppen? Je kunt nog zoveel betekenen voor iedereen.

Ik had gedacht dat het gezellig zou zijn als je niet meer werkte en dat we samen leuke dingen zouden doen, maar jij loopt alleen te mopperen en te zeuren. Kijk nu eens om je heen: de krokussen bloeien, de narcissen staan op uitkomen, kijk bij de vijver, de dotterbloemen en het speenkruid bloeien. Kijk eens hoe ver de tulpen al zijn. Kijk hoeveel knoppen er aan de bomen zitten. Ik vind dit niks voor jou, zo ben je niet. Er ligt nog een heel leven voor je, je kunt tachtig of nog ouder worden, blijf je dan al die jaren zitten treuren dat je niet meer werken mag?'

Hij staat op, strijkt haar over haar hoofd en gaat naar binnen. Een beetje verdwaasd zit ze daar alleen, zijn halfvolle mok staat naast haar op het bankje. Is ze te hard geweest? Maar ze gelooft echt dat ze dit een keer moest zeggen. Hij was niet boos, anders kreeg ze geen aai over haar bol. Zou hij er van geschrokken zijn? Maar even niets meer zeggen, hij moet het eerst maar verwerken.

De kinderen hebben het ook gemerkt en er met haar over gepraat, maar niet met hun vader.

Astrid is nog buiten blijven zitten, laat Bert eerst maar eens nadenken over wat ze gezegd heeft.

Ze zit te mijmeren over wat er allemaal gebeurd is de laatste jaren.

De kinderen; Mandy, die twee jaar geleden getrouwd is met Rob, ze verwachten hun eerste kindje.

Lennard en Iemke. Lennard heeft een literatuurprijs gewonnen, maar het is zo jammer dat hij zich nog steeds afzet tegen alles wat God en godsdienst is. Hij is een kind van veel gebed. Bas is veertien en zit in de tweede klas van het vwo, Lobke is net naar de brugklas gegaan.

Katja en Jan Willem hebben een stormachtig huwelijk, maar ze zijn gek op elkaar. Ze hebben een huis laten bouwen aan de rand van de stad. Toen ze pas getrouwd waren, heeft Jan Willem nog vaak gedacht aan een kind van hen samen, maar Katja was daar fel op tegen. Eerst ging ze vreselijk tekeer en daarna heeft ze het gepresteerd om een week lang te zwijgen tegen hem. Dus, wilde hij zijn huwelijk redden, was het beter om die gedachte uit zijn hoofd te zetten.

Hij is trouwens gek met de meiden. Wat hem de laatste tijd wel erg dwarszit, is dat Mirthe, die in de brugklas zit, niet meer mee wil naar de kerk. Katja gaat ook alleen maar naar de kerstnachtdienst en brutaal zegt Mirthe: 'Mamma gaat toch ook niet, waarom zou ik dan mee moeten. Ik vind er niks aan: saaie liedjes zingen en naar een preek luisteren, dan denk ik: Ik hoop dat hij gauw amen zegt. Bah, nee hoor, zonde van mijn tijd.' Ook als ze bij Hugo zijn, gaat ze niet mee.

Sifra zit in groep acht van de basisschool. Zij vindt het fijn om mee naar de kerk te gaan, maar ze gaat nog wel naar de kindernevendienst. De twaalfjarigen krijgen ook een soort catechisatie, om hen er alvast aan te laten wennen. Ook daar gaat Mirthe niet naar toe. Hoewel haar vader, Hugo, en Jan Willem, ieder op hun beurt, geprobeerd hebben om een ernstig gesprek met haar te hebben, stoot alles af op haar onverschilligheid. Ook een kind van veel gebed.

Wat gaat een mensenleven toch gauw voorbij. Nog maar net, zo lijkt het, hadden ze een gezin met kleine kinderen. En nu zijn er kleinkinderen die al naar de middelbare school gaan.

Straks worden ze nog een keer oma en opa, heerlijk dat Mandy en Rob zo gelukkig zijn, samen zien ze met verlangen naar hun baby uit.

Oma Stien is op 88-jarige leeftijd in haar slaap overleden, nadat ze de laatste tijd wel steeds achteruitging, maar het toch,

voor zover ze merken konden, naar haar zin had op de zorgboerderij.

Altijd als ze kwamen was ze blij, ze gooide wel namen door
elkaar, maar als ze haar aan het praten konden krijgen over
vroeger, had ze hele verhalen. Astrid of Anneke namen soms
een oud fotoalbum mee, dat vond ze ook mooi, maar wat ze het
allerfijnste vond, was als ze gingen zingen met haar. Oude,
berijmde psalmen, 'Er ruist langs de wolken', of 'Scheepje
onder Jezus' hoede'. Dan stonden zij soms verbaasd hoeveel
versjes ze nog kende.

Astrid zit zich te koesteren in het lentezonnetje en ze peinst
verder.

Met Anneke is het anders gegaan dan zijzelf en iedereen
gedacht had. Ze is bijna een jaar op zoek geweest naar een
droomhuisje, liefst bij bos en water, maar toch wel dicht bij de
stad. Ze heeft nog overwogen om zelf een bungalow te laten
bouwen en was echt ten einde raad. Toen ze het helemaal niet
meer zag zitten, diende zich een oplossing aan, waar ze in eerste instantie niets voor voelde. Via via werd haar gevraagd om
een flat te kopen in een woongemeenschap aan de rand van het
dorp, met een schitterend uitzicht op de rivier en veel groen.
Ze had eerst heftig geprotesteerd, en dat was toch niets voor
haar. Maar uiteindelijk heeft ze ja gezegd en ze heeft er nog
geen moment spijt van gehad.

Ze heeft een prachtig groot balkon waar ze een echte tuin van
gemaakt heeft. De bewoners drinken koffie met elkaar, hebben
één keer in de week een gezamenlijke maaltijd, telkens door
een paar andere mensen voorbereid. Ze doen veel dingen gezamenlijk, maar als je daar even geen zin in hebt, neemt niemand
het je kwalijk. Ze woont vlakbij winkels, de kerk en het openbaar vervoer is om de hoek. Ook dicht bij Astrid en Bert. Er is
zelfs een ontluikende liefde: een buurman in de flat. Ze doen

veel dingen samen, en zitten op één lijn wat het geloof betreft. Astrid en Bert zien het met blijdschap aan.

Bert komt de tuin in met twee glazen limonade. 'Ik ben blij dat je me uitgefoeterd hebt, ik had het nodig. Ik zeg niet dat ik nu opeens overal zin in heb, maar als we morgen eens samen een eind gingen fietsen? Of heb jij afspraken?'
'Dat lijkt me heerlijk; ik heb niets morgen. We maken er een fijne dag van.'
Vanaf die tijd gaat het beter. Langzamerhand begint hij eens rond te kijken naar wat voor mogelijkheden hij heeft. Dat zijn er vele. In de eerste plaats is daar het kerkenwerk. Hij is nog ouderling, wel voor het laatste jaar, maar in de kerk is er genoeg werk. Niet alles hoeft tegelijk, hij kan rustig alles bekijken en zien wat er op zijn pad komt. Hij mag ook graag met zijn computer bezig zijn. Het gekke is dat hij toen hij nog werkte, vaak gedacht heeft: Als ik maar tijd genoeg had, dan zou ik … En nu het zover is, komt hij nergens aan toe.
Maar langzamerhand komt de oude, energieke Bert weer tevoorschijn.

Het is de volgende dag mooi weer en ze fietsen vijftig kilometer. Ze genieten er allebei van. 'Ik heb dit veel te lang niet gedaan,' zegt Bert, 'als jij zin hebt doen we het vaker, de zomer ligt nog voor ons.'
Als Bert de volgende morgen zijn krantje zit te lezen, zegt hij: 'Ja, dat ga ik doen, dat lijkt me leuk en ik help er een ander mee.'
'Waar heb je het over?' vraagt Astrid als ze met een pot hete thee de kamer in komt.
'Luister, ik lees hier: tandemfietser gevraagd. Een nagenoeg blinde man is op zoek naar een man of vrouw die met hem wil tandemfietsen; een tandemfiets is aanwezig en meneer kan

goed meefietsen. Wie wil met deze man fietstochtjes gaan maken? En er staat een telefoonnummer van de vrijwillige thuishulp. Ik ga meteen bellen, het lijkt me wel wat. Ik loop jou dan ook niet voor de voeten.'

Astrid schiet in de lach: 'Dat noem ik nog eens spijkers met koppen slaan. Maar het lijkt me wel wat voor jou.'

Hij loopt meteen naar de telefoon en belt de thuishulp, daar krijgt hij het nummer door. Dat belt hij ook meteen maar. Het is een heel leuk gesprek, want de meneer blijkt een oud-klasgenoot van hem te zijn. Ze maken meteen een afspraak en of hij zijn vrouw ook mee wil brengen want hij wil graag met haar kennismaken. Handenwrijvend komt hij de keuken binnen, waar Astrid met het eten bezig is.

Hij vertelt van zijn gesprek en van de afspraak. 'Wat leuk dat jij die Karel Entveld nog kent van vroeger,' zegt ze.

'Wat goed dat die advertentie er net vandaag in stond. Nou heb ik meteen een doel.'

Van beide kanten bevalt dat heel goed, ze maken prachtige fietstochten en hebben veel gesprekken. Karels vrouw is al een aantal jaren dood. Hij heeft kinderen die hem trouw opzoeken, maar door zijn handicap komt hij langzamerhand toch in een isolement terecht. Bert en hij hebben veel fijne uurtjes samen.

'Weet je waar ik nog altijd spijt van heb?' vraagt Karel op een keer als ze samen uitrusten op een terrasje om wat te drinken. Bert kijkt hem vragend aan, maar beseft meteen dat Karel dat niet zien kan. Dus zegt hij: 'Vertel op.'

'Meta en ik hadden altijd grote plannen toen ik nog werkte. Als ik niet meer zou werken, zouden we een grote reis maken en als het goed beviel, meerdere reizen. Maar het is er niet van gekomen. Dat had eigenlijk geen oorzaak, het kwam er gewoon niet van. Kijk, dat vind ik nou zo jammer. Ik zou tegen jou en tegen Astrid willen zeggen: Jullie praten ook vaak over reizen maken, maar soms is het opeens op, dan kan het niet meer, om wat voor reden dan ook.'

'Tja,' zegt Bert bedachtzaam, terwijl hij over het weinige haar strijkt dat nog over is. 'Maar we zijn heel weinig in het buitenland geweest; toen de kinderen klein waren gingen we een of twee weken kamperen, toen ze ouder werden, en Lennard studeerde, was er geen geld voor buitenlandse reizen. Nu zouden we, om te kijken hoe dat bevalt, eerst eens naar Luxemburg kunnen gaan of naar de Eifel. Als we dat allebei geslaagd vinden, zouden we verder weg kunnen gaan.'

'Doen hoor,' zegt Karel.

Bert fietst, als hij naar huis gaat, langs een reisbureau, zijn besluit is opeens genomen, hij zal Astrid verrassen. Na wat gebladerd te hebben in de folders besluit hij om er een mee te nemen van Luxemburg en een van Oostenrijk, en ja, ook een van Denemarken, dat lijkt hem opeens een mooi reisdoel. Er wordt aan hem gevraagd waar hij voorkeur voor heeft: een reis met een gezelschap met een bus, of met eigen vervoer. Hij haalt zijn schouders eens op: 'Daar heb ik nog niet over nagedacht, het kwam spontaan bij me op, ik moet eerst met mijn vrouw overleggen.'

Gewapend met een heel stel folders gaat hij huiswaarts. Astrid is nog niet thuis; ze moest een paar bezoekjes afleggen in het verzorgingshuis. Bert legt de folders op tafel, gaat naar boven, en zet zijn computer aan, op internet staan ook veel inlichtingen over reizen, misschien is daar iets te vinden wat hem meteen aanspreekt.

Een halfuurtje later hoort hij Astrid thuiskomen. Hij gaat naar beneden, wil haar gezicht zien als ze de papieren op tafel ontdekt. In de gang trekt hij haar naar zich toe en geeft haar een stevige knuffel.

'Waar heb ik dat aan verdiend?' lacht ze.

'Omdat ik van je hou,' is zijn antwoord.

'Wat zijn dat voor papieren? Lagen die in de brievenbus? O,

nee, ik zie het al, het zijn reisfolders, heb jij die meegebracht?'
Lachend staat Bert naar haar te kijken. 'Ja, hoe vind je het?
We gaan op reis,' zegt hij, terwijl hij een arm om haar heen
slaat.
Ze is op een stoel bij de tafel neergezakt, verbaasd dat hij daar
nu opeens mee aan komt. 'Hoe kom je zo?' wil ze weten.
'Karel en ik hebben heerlijk gefietst vanmorgen. We zaten koffie te drinken op een terrasje, ergens in een dorpje, toen Karel
zei dat hij er spijt van had dat hij niet meer reizen gemaakt had
toen zijn Meta nog leefde. Hij ging verder en zei tegen me dat
ik het doen moest als ik dat wilde, want dat ik het later ook erg
zou vinden. Toen dacht ik: Je hebt gelijk, en ik ben meteen
langs een reisbureau gegaan om folders op te halen. Lijkt het
je wat?'
Astrid is er even helemaal stil van, ze bladert gedachteloos
door de folders. Dan zegt ze: 'Dat heb ik nou altijd al gewild;
we kunnen het nu nog doen, zijn gezond, en financieel kan het
ook. Heb jij voor jezelf al een keus gemaakt?'
'Je ziet dat ik er van Denemarken een paar heb en van
Luxemburg, maar ook van Oostenrijk, die hoge bergen met
sneeuw, die zou ik best wel eens willen zien. Wat lijkt jou? Een
busreis met een gezelschap, of liever op ons eigen houtje, met
de auto. Heb jij voorkeur voor een bepaald land?'
'Daar moet ik eerst even over nadenken. Ik heb altijd al graag
naar Oostenrijk gewild, wij zijn nooit verder geweest dan
Belgie. Ik zou, net als jij, zo graag die hoge bergen eens willen zien, als ik dat op foto's of op de tv zie, dan lijkt me dat zo
mooi. Wenen, die stad heeft me ook altijd gefascineerd.
Misschien kunnen we het beste met een busreis gaan. Kijken
of dat bevalt, en zo niet, dan gaan we volgend jaar er zelf op
uit. Of zou jij liever naar Denemarken gaan?'
'We kunnen er eerst nog een nachtje over slapen; het lijkt
me wel fijn om volgende maand te gaan. In juni is het

vaak mooi weer en heerlijk lange dagen.'

'En als het goed bevalt, kunnen we in augustus misschien nog een weekje gaan,' zegt Bert.

'Zo, jij hebt er zin in,' lacht Astrid. 'Ik ga eerst eens zorgen dat we wat te eten krijgen,' vervolgt ze, terwijl ze naar de keuken loopt.

Zo gebeurt het dat ze besluiten om naar Wenen te gaan, met een busreis.

Op een mooie junimorgen moeten ze vroeg op stap. In hun woonplaats moeten ze om zeven uur op het marktplein opstappen. Ze kunnen een mooi plaatsje uitzoeken, de bus is nog bijna leeg. Er moeten nog meer mensen opgehaald worden. Maar wat Astrid en Bert erg tegenvalt, is dat ze eerst het halve land doorreizen tot de bus vol is. 'Als we nog eens met een bus gaan,' zegt Bert, terwijl hij het zweet van zijn voorhoofd veegt, 'dan vragen we wat de laatste opstapplaats in Nederland is, dan gaan we daar wel met de auto heen, want terug moeten we weer dezelfde route en zijn wij de laatsten die uitstappen.'

Astrid neemt het luchtig op: 'Ach joh, wat geeft dat nou, zo zie je nog eens wat van ons land. En nu hebben we de beste plaats in de bus uit kunnen zoeken.'

Nog voor de grens krijgen ze een broodmaaltijd aangeboden en daarna gaan ze de snelweg op. De chauffeur stelt zich voor; de reisleider pakt daarna de microfoon en zegt dat ze hem altijd vragen kunnen stellen, over de omgeving, maar ook als er klachten zijn.

Tegen de avond komen ze aan op hun overnachtingsadres. Dat is vlak voor de Oostenrijkse grens, vlak bij het stadje Passau. Wie dat wil, kan na het diner daar nog even een kijkje gaan nemen. Astrid wil wel naar haar kamer, ze is moe, maar Bert zegt dat hij graag nog even de benen strekt, en Passau wil hij gezien hebben.

Hij loopt op met een man waar hij eerder op de dag ook al mee gesproken heeft, zijn vrouw was ook moe, dus stelde hij voor om samen te gaan. Hij heeft zich voorgesteld als Alexander de Vroom en komt uit Zwolle. Het blijkt dat ze veel overeenkomsten hebben. Allebei een gezin met kinderen die de deur uit zijn, allebei opa. Ook vertelt Alexander dat hij veel vrijwilligerswerk doet en gedaan heeft, ook in de kerk. Dus zo komen ze gauw aan de praat.

Wat ze niet weten, is dat hun vrouwen, die allebei nog even op het terras bleven staan, ook allerlei gegevens uitwisselen; het resulteert erin dat ze de hele reis bij elkaar blijven. Ze kunnen het wel goed met elkaar vinden. Dat wil zeggen, de mannen beter dan de vrouwen. Astrid vindt mevrouw De Vroom niet echt sympathiek, ze legt ook veel beslag op Astrid, iets waar deze helemaal niet tegen kan.

Het weer is mooi, overdag zonnig en 's avonds of 's nachts een onweersbui, maar de volgende morgen steevast een schoongewassen wereld en een stralende zon.

Ze hebben een fijne reisleider, hij vertelt boeiend over elk plekje waar ze komen en haalt er steeds de geschiedenis bij. Ze genieten van Wenen, van de schitterende kerken, waar in één kerk, tot hun verrassing, een Nederlands mannenkoor zingt. Natuurlijk bekijken ze Schloss Schönbrunn en het Prater wordt niet vergeten. Ook in de omgeving maken ze prachtige tochtjes. Ze varen op de Donau, gaan het blindeninstituut van Dr. Vogel bekijken en tot hun plezier zingt daar ook het mannenkoor weer. Zo prachtig, al die mannenstemmen.

Op zondag gaan ze gezamenlijk naar een kerkdienst, waar wederom het mannenkoor present is.

De week is zomaar om, tijd voor de terugreis.

Ze spreken met de nieuwe kennissen af om elkaar nog eens te ontmoeten en misschien gaan ze met hun vieren in augustus naar Denemarken. De Vromen, zoals ze hen stiekem noemen, hebben daar ook wel zin in. Maar voorlopig is het nog niet zover. Voor Astrid hoeft het ook niet.

Weer thuis, zijn ze wel erg moe. De volgende dag komen alle kinderen even langs om te horen of de reis bevallen is. Bert is heel enthousiast, hij vertelt en blíjft vertellen. Hij laat foto's zien, kaarten die ze gekocht hebben, zodat Mandy zachtjes tegen haar moeder zegt: 'Die pa, nou zullen jullie nog wel eens vaker op reis gaan.'

'Als het aan hem ligt, wel.'

'Jij dan niet, mam?'

'Ik heb het erg naar mijn zin gehad, ik heb genoten van alles wat we gezien hebben, maar ik was 's avonds aan het eind van mijn Latijn, en die Jo de Vroom was wel erg vermoeiend, ze had het hoogste woord en was zo druk. Pa kon met Alexander beter overweg, dat was meteen ouwe-jongens-krentenbrood. Toen pa over een reis naar Denemarken begon, zei Alexander meteen: "Dan kunnen we wel met ons vieren gaan".'

'Maar daar heeft mam niet zoveel zin in,' zegt Mandy die haar moeder achternagelopen is naar de keuken.

'Ik zou liever alleen met pa gaan, maar ja …'

'Daar zou ik dan eerst nog maar eens goed over denken en met pa over praten, mannen zien dat nooit,' zegt Mandy, 'die denken veel te gauw dat een vrouw het wel leuk vindt als zíj het maar naar hun zin hebben.'

'Jij hebt er verstand van,' lacht Astrid. 'Maar een beetje gelijk heb je wel. We gaan morgen gelukkig nog niet weg, dus zal er eerst over gepraat kunnen worden.'

'Heb je trouwens al gehoord, mam,' zegt Mandy, terwijl ze de koffie inschenkt, 'dat Lennard weer een prijs gekregen heeft voor zijn laatste boek? Hij loopt naast zijn schoenen van verwaandheid. Nou ja, dat is overdreven,' zwakt ze het wat af. 'Ik geloof trouwens dat ik hem binnen hoor komen.' Ze kijkt om het

hoekje van de kamerdeur en zegt: 'Len, jij ook meteen koffie?'
Hij bromt wat en Mandy neemt aan dat het ja betekent. Als ze
met de koffie binnenkomt, is het een gezellig geroezemoes,
maar Lennard zit er met een boos gezicht bij.
'Wat is er?' vraagt Bert, 'ik dacht dat jij blij zou zijn dat je
weer een prijs gewonnen hebt met je boek?'
'O, ja, dat, maar ik ben zo kwaad. Bas is ten onrechte van
school gestuurd. Ik laat het er niet bij zitten, ik ben al wezen
praten, maar de directeur zegt dat hij in zijn recht staat. Ik zoek
het hogerop wel uit, het is een gemene streek.
Bas, en een groepje van die knullen en meiden uit zijn klas zitten in de fietsenstalling te geinen, een beetje blowen, nou ja,
dat hoort erbij, tegenwoordig. Ze zien een leraar aankomen,
maar Bas zit met zijn rug naar hem toe. De anderen zijn
meteen weg, maar Bas wordt in zijn kraag gepakt en meegenomen naar de directeur, die hem meteen veroordeelt. Bas
wordt kwaad en zegt dingen die hij beter niet had kunnen zeggen, maar vooruit, ik kan me dat voorstellen nu hij ervoor
opdraaide omdat ze hem te pakken hadden. Hij is nu voor drie
dagen van school gestuurd. Pff, ik ben woest. Ze hebben die
andere gasten niet eens verhoord.'
'Je vergeet nog dat er lege breezerflesjes stonden,' zegt Iemke
zacht.
'Het is toch niet bewezen dat Bás dat spul gedronken heeft?
Dus daarom hoeven ze hem niet van school te sturen, terwijl
de anderen vrijuit gaan."
'Lennard, je weet dat ze er met de klas over zouden praten, dat
ze uit zouden zoeken hoe het precies zat.'
'Dan zou ik dat eerst maar eens afwachten, misschien dat ze
hem rehabiliteren en dat ze allemáál straf krijgen,' zegt Bert,
'of een andere school ...' dat klinkt aarzelend.
'Ik heb er ook al over gedacht, maar dan is hij al zijn vrienden
kwijt, bovendien is daar het leerprogramma weer anders. Hij

moest van Iemke zonodig naar die christelijke school, nou zie je maar weer.'

'Wat zie je nu weer?' vraagt Astrid zacht.

Lennard gaat er niet op in, maar Katja zegt: 'Aardige vent ben jij. Zijn pap en mam met vakantie geweest; je vraagt nergens naar en komt alleen met je eigen problemen binnenvallen.'

'O, ja, sorry hoor, daar had ik even niet aan gedacht. Hoe was de vakantie? Was die busreis niet vervelend? Was het voor jullie wel leuk om met zo'n groep uit te gaan?'

'Wij hebben het erg naar onze zin gehad, en echt genoten van alles, we waren nog nooit in de bergen geweest. In de buurt van Wenen zijn de bergen niet zo hoog, maar we hebben nog wel door die hoge bergen gereden. Imposant. Een leuk reisgezelschap, mooi weer. Leuke kennissen gemaakt. Wenen is in één woord schitterend,' zegt Bert. Hij is een beetje boos omdat Lennard er zo laatdunkend over praat.

'Hebben jullie de Karlskirche gezien, vanbinnen, bedoel ik?' vraagt Lennard.

'Ja, daar zijn we in geweest, een groot mannenkoor uit Den Haag was juist op tournee, ze zongen daar. Schitterend, wat een akoestiek. Die prachtige muurschilderingen. Wat is die glazen koepel daar ook prachtig.'

'Wat bouwden ze vroeger prachtige kerken, de Stephansdom is ook schitterend. Zou ons nageslacht ook vinden dat we mooie kerkgebouwen nagelaten hebben?' zegt Astrid.

'Welnee, de kerken die ze nu bouwen worden over veertig of vijftig jaar weer afgebroken, dan gaat er niemand meer naartoe, dat zie je nu al. Er gaan steeds minder mensen naar de kerk,' prikt Lennard daar doorheen.

Bert vindt het raadzaam om maar over iets anders te gaan praten. 'Weten jullie wat onze volgende reis waarschijnlijk wordt?' vraagt hij de kring rondkijkend.

'Hebben jullie alweer nieuwe reisplannen?' vraagt Katja verbaasd.

Mandy, die het plan al van haar moeder gehoord heeft, lacht een beetje, ze begrijpt dat haar vader enthousiast is. 'Zal ik nog even koffie gaan zetten? Wie wil nog een bakkie?'

Maar dan blijken ze allemaal haast te hebben. Iemke en Lennard staan op: 'Lobke komt zo uit school.'

Katja wil ook naar huis, zij moet 's middags nog werken. 'Ik wil nog wel even weten wanneer jullie weer gaan en waar jullie heen willen,' zegt Katja.

'We willen naar Denemarken, met onze eigen auto, met de kennissen die we deze reis opgedaan hebben,' zegt haar vader.

'Wanneer?'

'Ergens in augustus.'

'Jullie wachten toch wel tot onze baby geboren is?' vraagt Mandy, die eind juli uitgerekend is.

Astrid lacht: 'We willen veel te graag ons nieuwe kleinkind zien, het is alweer zo lang geleden, Sifra is bijna twaalf. Ik vind dat trouwens een vervelende geschiedenis met Bas. Beginnen die kinderen daar zo vroeg al aan?'

'Er stond gisteren nog een stuk in de krank over drankmisbruik bij jonge kinderen van twaalf, dertien jaar. En dat blowen zint míj ook niet. Enfin, laten we eerst maar eens wachten hoe het afloopt. Gaan we al gauw eten?' vraagt Bert erachteraan.

'Een halfuurtje nog.'

'Dan ga ik nog even een ommetje maken, is er nog post? Dan neem ik die meteen mee.'

'Pap, ik ben lopend, breng me maar lekker thuis, gezellig,' zegt Mandy. 'Dan heb je meteen je wandeling. En Bob kan dan gelijk uitgelaten worden.'

'Heeft hij zich netjes gedragen bij jullie?'

'Het was zo gezellig, wij denken er over ook een hond te nemen.'

14

De volgende morgen ligt er een brief uit Amerika op de deurmat. Astrid raapt hem op, Amerika, ze kent er niemand. Ze ziet dat de afzender ene Charles Dalstra is, misschien een oud-collega van Bert die op vakantie is. Maar als Bert even later vanuit de tuin binnenkomt, blijkt dat hij ook geen Dalstra kent.

Nieuwsgierig maakt hij de envelop open, Astrid kijkt over zijn schouder mee. Een brief in het Engels met een Nederlandse naam. Bert gaat er even bij zitten, zijn Engels is niet zo best en het is ook nog een kriebelig handschrift. Astrid is er beter in. Ze haalt er haar leesbril bij en als ze het even later ontcijferd en vertaald heeft, staat er:

Geachte heer en mevrouw Verhoef,

Om maar met de deur in huis te vallen: ik ben bezig een stamboom van onze familie samen te stellen, die, zoals u begrijpen zult uit de namen, uit Holland afkomstig is.
Ik ben Charles Dalstra, mijn vader heette Harm en mijn oma was Martine Dalstra-de Jong.
Op een zus en zwager na zijn haar broers en zussen allemaal geëmigreerd, in 1921.
Degenen die in Holland bleven, heetten Maarten en Anna Verhoef-de Jong, ze woonden in Stolwijk, waar ze waarschijnlijk een boerderij hadden. Tot zover is dit wat ik boven water gehaald heb, en nu wilde ik weten of er nog familie van over is. Ik ben jullie op het spoor gekomen, en als ik het goed heb, is Bert Verhoef een achterneef van mij. Anna was volgens de papieren de zus die in Nederland achtergebleven is.
Ik zou het op prijs stellen als u me schrijven wilt of dit allemaal klopt. U kunt ook mailen, mijn adres staat hieronder.

Hartelijke groeten van Charles en Lynn Dalstra uit Roseland,
Ill, bij Chicago.

Als de brief gelezen is, kijken ze elkaar aan. 'Jij moet weten of
dit klopt,' zegt Astrid.
Bert krabt bedachtzaam op zijn kalende schedel en zegt: 'Ik
heb ooit wel gehoord van familie in Amerika. Mijn oma was
inderdaad Anna Verhoef-de Jong. Mijn vader was Gerrit
Verhoef, dus dan zijn we, 's kijken … achterneven. Ik kan me
herinneren dat oma vertelde dat al haar broers en zussen naar
Amerika geëmigreerd waren. Zij en haar man zaten goed op de
boerderij en mijn oma moest er niet aan dénken om uit
Holland weg te gaan. Ze hadden weinig contact met de familie in Amerika, mijn oma was al niet zo'n schrijfster, als ze dan
een brief terug kreeg, kon ze die niet beantwoorden, en zo
schijnt het contact helemaal verloren gegaan te zijn. Ik vind
het wel leuk dat die Charles nu geschreven heeft. Ik ga vanavond nog mailen, dat is toch makkelijk, tegenwoordig.
Diezelfde avond gaat Bert achter zijn computer zitten en hij
mailt dat het klopt dat Charles Dalstra een neef van hem is. Dat
hijzelf als kind bij oma en opa op de boerderij logeerde, en dat
oma wel eens verteld heeft over de broers en zussen die naar
Amerika verhuisd waren. Hij herinnert zich nog een fotootje,
genomen toen oma's zus Martine met haar tweede man in
Holland was. Ze zitten op die foto voor de boerderij. 'Die man
praatte zo raar, ik kon er niets van verstaan; dat mijn zus dat
haar hele leven volgehouden heeft!' had oma gezegd.
Verder vertelt hij over zijn ouders, die overleden zijn. Dat zijn
vader Gerrit heette.
En verder dat hij heel graag van Charles zal vernemen wat ze
daar doen, of er nog veel familie is.
Ook over hun eigen kinderen en kleinkinderen schrijft hij.
Hij laat het aan Astrid lezen, die er nog bij wil zetten dat ze

hartelijk welkom zijn als ze ooit van plan zijn om naar Holland te komen.
Al heel gauw krijgen ze antwoord:

Beste Astrid en Bert,

Geweldig dat we familie zijn. Oma Martine is in 1921 geëmigreerd met vier kinderen, waarvan mijn vader er een was. Ze was toen net weduwe geworden. Er was een oom in Amerika die schreef dat ze komen konden, er was een huis en verder zouden ze overal mee geholpen worden.
Dat was mooi, want ik heb veel gelezen over Nederland in die tijd. Een weduwe met vier kinderen moest armoe lijden. Mijn oudoom Jan, Martines broer, begeleidde haar. Hij zou een halfjaar blijven en werken voor de terugtocht, maar hij ontmoette daar zijn grote liefde en heeft Holland nooit meer gezien. Eén kindje van Martine stierf op Ellis Island, ze moesten daar drie maanden blijven, omdat de borgsom niet helemaal klopte.
Martine is later getrouwd met de weduwnaar Charles van Dam, die geen woord Nederlands sprak, maar wel uit Holland afkomstig was. Er kwamen nog meer kinderen en Charles had ook twee kinderen uit zijn eerste huwelijk. Een groot gezin dus. Maar het was bij Granny altijd gezellig. We kwamen allemaal graag bij haar. Een van die vier kinderen die Martine uit Holland meebracht was mijn vader Harm. Hij is helaas overleden. De familie in Amerika kon ik allemaal traceren.
Ik vind het een geweldig aanbod dat jullie ons uitnodigen, maar ik wil vragen: komen jullie eerst hiernaartoe? Je kunt blijven zolang je wilt. Of Bert, werk je nog? Dat heb je niet geschreven.
Ik hoop dat ik spoedig wat van jullie hoor en dat jullie ja zeggen op ons plan.

Hartelijke groeten, ook van Lynn. Zij wil hieronder nog iets schrijven.

Ik wil alleen nog even melden dat we drie kinderen hebben: John is getrouwd met Vera en wij zijn de apetrotse oma en opa van Martie, die net vijf maanden is. Daarna volgt Danny die dit jaar hoopt te gaan trouwen met Barbara.
En onze jongste, Virgine, is vijftien jaar. Ik hoop ook dat jullie gauw komen, kun je kennismaken met de grote familie.

PS. Het zou wel heel leuk zijn, ik heb net een boek gelezen van een Hollander: Lennard Verhoef, maar hij is waarschijnlijk geen familie van jullie (en van ons dus).
Groeten van ons, Charles en Lynn.

Bert en Astrid kijken elkaar aan, nadat ze de mail gelezen hebben. Lennard. Wat voor indruk heeft dit boek gemaakt? Ze hadden al gehoord dat er een boek in het Engels vertaald was. Bert heeft het bericht met veel scepsis gelezen.
Maar verder, wát een aanbod. Dan wordt het geen Denemarken, dit jaar in ieder geval niet, denkt Astrid met een zucht van opluchting.
Bert is helemaal opgetogen bij het idee naar Amerika te gaan. Roseland, bij Chicago. Wát een aanbod. Berts ogen glinsteren.
'Ik heb dit altijd graag gewild, ben altijd nog in de greep van het boek "De Landverhuizers".'
'Ga jij maar gauw over al je familieleden vertellen, al die acht broers van je vader, ik ken ze niet eens allemaal,' zegt Astrid. 'Moeten die er ook allemaal bij, met kinderen en kleinkinderen?'
'Ik denk dat die Charles dat allemaal wel weten wil.'
'Dan heb ik wel een poosje werk, die nichten en neven ken ik niet eens meer.'

'Als je bij één oom begint, volgt de rest vanzelf. Het lijkt mij leuk werk. Maar eerst ga ik wat te eten klaarmaken, het is alweer zo laat geworden.'

Ze kunnen nergens anders over praten.

Astrid ziet ook een nieuw pluspunt: 'Dan zijn we in ieder geval in Nederland als de baby van Mandy en Rob geboren wordt, want zo gauw zullen we niet naar Amerika gaan. Misschien kunnen we dan beter wachten tot het voorjaar is, want het zijn vaak strenge winters daar, met veel sneeuw.'

'Dat lijkt me goed, we hebben dan ook ruim de tijd om ons voor te bereiden, en te sparen voor de reis,' zegt Bert.

Bert begint meteen familie aan te schrijven, hij heeft van een paar het e-mailadres en vraagt of die nog andere adressen kennen. Hij is er uren zoet mee, nadat ze met Charles en Lynn afgesproken hebben om inderdaad tot het voorjaar te wachten.

Astrid heeft boodschappen gedaan. Ze gaat nog even langs Mandy, die natuurlijk allang op de hoogte is van de familie in Amerika. Mandy, die nu bijna haar baby krijgt. 'We zijn samen in verwachting, mam,' zegt Rob stralend, als Astrid vraagt hoe het met Mandy gaat.

'Jij bent nog veel zenuwachtiger dan Mandy,' plaagt Astrid haar schoonzoon.

'Ik wou dat ík de baby krijgen kon,' zegt Rob, 'ik vind het zo erg voor Mandy.'

Maar die zegt lachend: 'Alle mensen zijn zo op de wereld gekomen en er komen er nog steeds bij. Mam, wil je thee of koffie?' laat ze er in één adem op volgen.

'Geef me maar koffie, maar hoe gaat het nu echt? Dat heb ik nog niet gehoord.'

'Goed, ik kan alleen niet lekker in bed liggen met die dikke buik. Wat zal het raar zijn als die buik weer plat is. Alsjeblieft,' zegt ze, terwijl ze de koffie voor haar moeder neerzet.

De volgende ochtend gaat Mandy nog even naar haar moeder. 'Heb je alles nu klaar?' vraagt Astrid.

'Ja, we hoeven alleen maar te wachten tot het zover is. Maar ik wil je iets vragen; als je echt niet wilt, moet je dat zeggen.' Astrid begrijpt het al, het heeft haar verbaasd dat Mandy daar niet eerder mee gekomen is.

'Mam, er is mij gevraagd of ik een paar dagen zou willen blijven werken als de baby er is. We vinden het niet zo'n leuk idee om hem of haar in een crèche te stoppen en daarom wil ik vragen of jij die twee dagen op wilt passen.' Het hoge woord is eruit. 'Maar als je het niet zit zitten vanwege je gezondheid, moet je het eerlijk zeggen.'

'Ik heb steeds al gedacht: Waar blijft ze nou om dit te vragen, maar ik wou me niet opdringen. Ik dacht dat jullie misschien al iemand hadden om op te passen. Ik zal het graag doen, gezellig, het is alweer zo lang geleden dat ik van die kleine kindertjes om me heen had. Ze worden allemaal al zo groot.'

'Fijn mam, ik hoopte al dat je het zou willen doen.'

'Ik ga het rommelkamertje leeg maken, ik heb jouw bedje en commode nog op zolder staan. Ik vraag of pappa er een leuk kinderbehangetje op plakt en zie, het kindje heeft een eigen kamertje hier.'

'Zover heb ik nog niet eens gedacht, ik dacht: ik zet de wagen neer en klaar is het. Maar dit is veel leuker. Heb je trouwens nog gehoord hoe het met Bas afgelopen is?'

'Iemke belde van de week op, de directeur had de hele klas bij elkaar geroepen en gevraagd of ze allemaal lafaards waren door er Bas voor op te laten draaien. Bas was daar niet bij. Het is toen uitgepraat, en de ouders werden ook uitgenodigd om te komen praten over drugs en drankmisbruik. Daar waren Lennard en Iemke wél bij. Bas, in ere hersteld, mocht weer naar school.'

'Gelukkig maar, fijn dat hij weer terug mocht komen. Hij zal voortaan vast wel uitkijken.'

'Eet je een boterham mee? Pa komt niet thuis om te lunchen, dan zit ik ook maar in mijn eentje.'

'Hè ja, gezellig. Vind je het echt leuk om naar Amerika te gaan, volgend jaar?'

'Ik verheug me er op. Meer dan op Denemarken; niet voor dat land hoor, dat zou ik ook graag eens zien, maar niet met die Jo de Vroom, ik ben bang dat zij mijn hele vakantie bederft. Nu is daar voorlopig geen sprake van, volgend jaar naar Amerika, dan komt er niets van, misschien is de vriendschap dan ook wel wat bekoeld. Ik zal hen niet uitnodigen, tenzij pa het heel graag wil.'

Diezelfde avond gaat de telefoon om elf uur. Wie belt er nu nog zo laat? Astrid neemt hem toch maar op. Het is Mandy.

'Mam, kom je gauw kijken naar je nieuwe kleindochter?'

Astrid hapt naar adem. Kleindochter? Vanmiddag was Mandy nog hier!

'Grapje,' zegt ze.

'Mam, het is echt waar, toen ik bij jou vandaan naar huis fiets-te, kreeg ik de eerste wee en daarna ging alles zo vlug: Rob bellen, de verloskundige, die nog net tijd had om haar handen te wassen, en nu lig ik hier, prinsheerlijk. Kom je gauw?'

'Pa is nog niet thuis, maar ík kom.'

Astrid was al in nachtkleding, maar ze kleedt zich gauw weer aan; dan hoort ze ook de sleutel in het slot. Ze holt de trap af, zo in Berts armen. We hebben ... Mandy heeft een dochter.'

Hij is al net zo verbaasd als zij. Gauw in de auto. 'Ik heb niets voor haar, voor hen. Alles staat klaar, vergeet ik het mee te nemen.'

'Dat komt morgen wel,' bromt Bert. 'Hoe kan dat zo gauw?'
De deur zwaait al open als ze uit de auto stappen. Rob lacht:
'Kom maar gauw kijken naar ons wereldwonder, het is zo'n
mooi kindje.'
Even later staat Astrid in de slaapkamer, waar Mandy ligt te
stralen. 'Mam, wat heerlijk dat jullie er al zijn.'
Astrid omhelst haar, met vochtige ogen. 'Kind, wat heerlijk
voor jullie en wat heb je dat gauw gedaan.'
'De verloskundige was daar ook verbaasd over, een eerste
kindje en dan zo'n vlotte bevalling.'
Even later staat ze vertederd in het wiegje te kijken, Bert feli-
citeert ondertussen zijn dochter. 'Trotse opa,' lacht deze.
'Hoe hebben jullie haar genoemd?' vraagt Astrid.
'Voluit Anna Maria, naar Robs oma, die vorige maand gestorven is. Hij had zo'n band met haar. Hij wou dit zo graag. Haar
roepnaam is Anne, lief hè? Nu heet ze ook nog een beetje naar
tante Anneke. Ik wou haar Astrid noemen.'
'Goed dat je haar geen Astrid genoemd heb, vroeger op school
zeiden ze altijd Assie tegen me. Vreselijk vond ik dat.'
Mandy lacht: 'O ja, jouw nachtmerrie, daar heb ik niet eens
aan gedacht.'
'Jij moet rust hebben, wij gaan ook naar bed, en ik zie Rob ook
al gapen.'
'Ik vond het zo vreselijk dat Mandy zoveel pijn moest lijden,'
zegt deze met een benauwd gezicht.
'Dat viel best mee en het ging allemaal zo vlug, ik had zomaar
ineens een kind, en wat voor een, wat een schatje, hè, mam?
Kom je morgen weer?'
'Ja, en daarna kom ik een paar dagen kramen.'
'Heerlijk! Eerst komt de kraamzorg, en daarna jij, gezellig
hoor.'
'Nu gaan we echt, tot morgen.'

Die avond knielen de grootouders voor hun bed, om de Heer te danken voor deze grote gave en voor de gezondheid van Mandy.

Na zes weken gaat Mandy weer werken en dan past Astrid twee dagen per week op met groot plezier, want wat vindt ze het heerlijk om weer voor zo'n klein mensje te mogen zorgen. Haar dagen zijn overvol met de bezoekjes aan bejaarden en haar vrijwilligerswerk in het verzorgingshuis.
Ze ziet altijd erg op tegen de herfst en de winter. Maar tot eind oktober blijft het mooi weer, dus wandelt ze veel met Anne. Bob mag dan ook mee, hij is niet jong meer en loopt een beetje sukkelig mee naast de kinderwagen. Astrid kijkt soms bezorgd naar hem. Het is Bert ook al opgevallen, als hij uitgelaten is, ligt hij een poos te hijgen in zijn mand. Hij is al oud, maar ze moeten er niet aan denken om hem kwijt te raken.
Tussen de middag eet Sifra bij hen. Katja heeft ander werk en Mirthe zit in de brugklas van het middelbaar onderwijs. Sifra is gek op haar kleine nichtje, en ook de kinderen van Iemke en Lennard vinden het leuk, zo'n kleintje.
Zo vliegt de donkere novembermaand voorbij en is het alweer adventstijd.
Tweede kerstdag is de hele familie bij elkaar, ze genieten er allemaal van, zo vaak gebeurt dat niet meer.
Het is zomaar weer januari. Bert is druk bezig met het stamboomonderzoek, met de correspondentie met Charles Dalstra, met zijn studie Engels en met het in orde maken van de reispapieren.
Het tandemfietsen met Karel gaat een poosje vanwege het weer niet door, maar Bert gaat wel elke week een ochtend naar hem toe.
Dan wordt het tijd om de laatste voorbereidingen te treffen

voor hun Amerikaanse reis. In die weken zal Iemke het oppassen op Anne overnemen.

Maar voordat het zover is, moeten ze afscheid nemen van Bob. Ze zijn naar de dierenarts geweest, maar deze kan niets meer voor hem doen. Op een koude dag in februari gaan ze naar de dierenarts om Bob te laten inslapen. 'Wilt u erbij blijven of liever niet?' vraagt ze.

'Ik blijf bij hem,' zegt Astrid, en Bert knikt.

'U mag uw armen om hem heen slaan als u dat wilt, dan krijgt hij eerst een spuitje waar hij rustig en slaperig van wordt en daarna ...'

Astrid knikt, ze kan niets zeggen, er zit een brok in haar keel. Bert legt zijn arm om haar schouder en zo staan ze er samen bij. Met zijn mooie, lieve hondenogen kijkt hij hen een voor een aan. Dan komt het spuitje en heel gauw is het afgelopen. Bob, hun trouwe vriend is zestien jaar bij hen geweest. Zonder iets te zeggen gaan ze met de lege hondenmand naar huis. Daar krijgt Astrid een huilbui en Bert schaamt zich ook niet voor zijn tranen. Het is zo stil en leeg in huis.

Gelukkig hebben ze veel afleiding door de voorbereidingen voor hun Amerikaanse reis.

Op 3 april is het zover. Hun grote reis. Ze hebben nog nooit gevlogen, dus dat is al een hele belevenis.

Lennard brengt hen naar Schiphol en daar begint het grote avontuur. Bert vindt het vliegen geweldig, maar Astrid heeft er erg tegenop gezien. Het opstijgen vind ze maar griezelig, maar als ze eenmaal op hoogte zijn, is ze in staat om ervan te genieten. Ze zijn 's middags om half twee opgestegen, zodat ze met een tussenstop in Ontario om half vijf plaatselijke tijd in Detroit aankomen. Charles staat hen daar op te wachten, maar hoe zullen ze elkaar herkennen in die mensenmassa? Bert heeft afgesproken dat hij met een rood-wit-blauw vlaggetje zwaaien zal. En als ze de douane door zijn, ja, daar staat dan

Charles Dalstra, de achterneef van Bert.

De begroeting is allerhartelijkst. Ze moeten nog even wachten tot de koffers van de lopende band komen en daarna gaan ze naar de auto, een slee zoals Bert zich niet kan indenken. Het is nog ruim een uur rijden voor ze in Grand Rapids aankomen. Ze vallen van de ene verbazing in de andere: wát een huis! Het ligt aan de rand van de stad, met een bos erachter. Lynn komt al naar buiten om hen hartelijk te begroeten.

'Jullie zullen wel doodmoe zijn, denk ik,' zegt ze. 'Willen jullie eerst rusten of eten?'

'Eten hebben we net in het vliegtuig gedaan, en rusten? Nee, we hebben veel te praten, hoor,' zegt Bert. Maar Astrid wil wel graag een poosje gaan rusten. Ze is erg moe van de vliegreis, van al het ongewone, van het tijdsverschil.

'Maak me dan over een uur of anderhalf uur wakker, dan hebben we nog iets aan de avond, en als ik te lang slaap, kan ik misschien vannacht niet slapen.'

'Kom maar mee,' zegt Lynn, 'dan zal ik je de slaapkamer wijzen.' Ze gaan een brede trap op, boven is een grote hal, waar verschillende deuren op uit komen.

Lynn doet een van de deuren open en Astrid blijft zich verbazen. Is dit een logeerkamer? Wat een mooie grote en heel luxe ingericht. 'Hier is een kast, Charles zal je koffer boven brengen. Kijk, hier is je badkamer, voor als je je eerst nog even wil opfrissen.'

Astrid ziet een prachtige badkamer, met ligbad, douchecabine en toilet. 'Wat mooi allemaal,' stamelt ze, 'prachtig.'

Lynn, die ziet dat het haar even te machtig wordt, zegt: 'Ga je gang en rust maar een poosje, slaap lekker en tot straks.' Meteen zet Charles haar koffer in de kamer.

Ze besluit om eerst een douche te nemen, en, voordat ze in bed stapt, sms't ze even naar Iemke dat ze veilig aangekomen zijn en een prima reis gehad hebben. Daarna valt ze achterover in bed en slaapt al bijna als ze zegt: 'Heer, lieve Vader, dank U wel' en dan slaapt ze echt.

Als Bert haar na ruim een uur wakker komt maken, heeft ze geen idee waar ze zich bevindt. Bert moet erom lachen. 'Dacht je dat je in ons eigen bed lag?' Opeens weet ze alles weer.

De volgende dagen nemen Charles en Lynn hen mee om hun alles te laten zien. Ze gaan naar Holland en als Bert het graf van ds. Van Raalte ziet, waarover hij zoveel gelezen heeft, is het of hij een déjà vu heeft. Dit heeft hij eerder meegemaakt. Ook de Pillarkerk en het standbeeld van Van Raalte doen hem heel veel.

Van Raalte, die in 1848 met een groep Nederlanders naar Amerika geëmigreerd is en daar de stad Holland en nog meer plaatsen zoals Vriesland, Achterhoek en Graafschap gesticht heeft. Bert is zeer onder de indruk. Overal zijn nog Nederlandse namen op winkels te zien, maar er wordt alleen nog Hollands gesproken door emigranten die nog niet zo lang geleden naar Amerika gegaan zijn.

Bert is blij met zijn Engelse lessen, ze kunnen daardoor aardig converseren. En ze merken tot hun verrassing dat Charles nog aardig wat Nederlands verstaat en spreekt ook.

'Dat komt,' legt hij uit, 'omdat mijn oma erop stond dat we onze taal bij moesten houden. Ik ben dus tweetalig opgegroeid. Mijn vader is in Nederland geboren, en hij heeft tot zijn dood toe Nederlands gesproken. Ook omdat hij in de Tweede Wereldoorlog vier maanden in Holland geweest is. Hij was bij de R.A.F. en werd neergeschoten ergens in Drenthe, daar heeft hij mijn moeder leren kennen.'

'Dat verhaal moet je me op een avond maar eens helemaal vertellen,' lacht Bert, die het allemaal uiterst interessant vindt.

Elke dag gaan ze wel iets bezoeken. Ze gaan ook naar Dolton, bij Chicago, waar Charles' stiefvader een hoenderpark had en makelaar was. Daar wonen nog veel familieleden. Het duizelt Astrid van al die namen.

Als ze daarvan terugkomen en het blijkt dat Charles en Lynn alweer plannen voor de volgende dag hebben – ze moeten de Niagarawatervallen toch ook gezien hebben – vraagt Astrid of zij dan een dag thuis mag blijven, ze is erg moe, en heeft steeds last van hoofdpijn.

Bert, die onvermoeibaar is, kijkt haar verbaasd aan. 'Maar die watervallen móét je gezien hebben,' zegt hij.

Lynn heeft een ander voorstel. Als de mannen morgen samen iets anders gaan bekijken, dan blijven de vrouwen thuis en gaan ze overmorgen of volgende week wel naar de waterval. Dat vinden ze alle vier een goed idee.

Astrid was nog liever een dag alleen gebleven, maar Lynn vindt het onbeleefd om haar achter te laten. Astrid wil graag alles opschrijven wat ze meegemaakt hebben en een dag rustig doen waar ze zin in heeft. Die kans krijgt ze toch nog, als Lynn een telefoontje krijgt over een vergadering, waar ze beslist bij moet zijn. Ze put zich uit in verontschuldigingen, maar Astrid vindt het heerlijk om alleen te zijn.

Even niet praten, rustig alles overdenken, wat post sturen naar de dames van haar bezoekadresjes. De middag is zo om, maar ze heeft ervan genoten.

Ondertussen hebben ze ook al kennisgemaakt met de twee zoons en de dochter van hun gastheer en gastvrouw: John, Danny en Virgine. John is getrouwd en heeft een baby.

Op zondag gaan ze met elkaar naar de kerk. Ook dat vinden ze weer een heel aparte belevenis.

Na kerktijd – Bert en Astrid zijn van harte welkom geheten door de dominee – raken Charles en Bert in gesprek over het verschil in kerkzijn in Nederland en Amerika. 'Jullie zijn toch nog wat behoudender dan ze bij ons zijn,' zegt Bert terwijl hij zijn koffiemok neerzet.

'Is daar iets mis mee?' Charles kijkt hem vragend aan.

'Nee, juist niét, ik vind dat het bij ons wel vaak te gemakkelijk gaat. God is liefde en over bekering en zonde wordt nauwelijks meer gesproken. Ik vond het vanmorgen, voorzover ik het verstaan kon, een preek met diepte. Ik vond het een stevige preek.'

Charles moet lachen om het enthousiasme van Bert. 'Ik ben blij dat je het zo ervaren hebt; ik lees ook veel kerknieuws uit Nederland en dat verontrust me soms.' Zo praten ze nog even door, terwijl de vrouwen over een boek praten, waarvan Astrid de Nederlandse vertaling gelezen heeft.

'Mooi, maar wel echt Amerikaans,' zegt Astrid.

Lynn schiet in de lach. 'Wat dat betreft is er wel verschil, maar ik kan niet oordelen over Nederlandse boeken, want zóveel vertaalde boeken uit het Nederlands hebben we hier niet, dat zijn er maar enkele. Jullie mailden dat Lennard jullie zoon is,' zegt Lynn. Bert en Astrid kijken elkaar aan, dan knikken ze gelijktijdig. 'Dat had ik niet verwacht, ik was daar heel verbaasd over.' Charles blijkt het ook gelezen te hebben.

Ze praten er een tijd over door. Hij heeft zo'n geweldige stijl van schrijven, waarom dan zo schoppen tegen alles wat jullie zo dierbaar is?' vraagt Charles zich af.

Ze gaan ook nog een dag naar Chicago; ze bezoeken het grote Center of Arts, gaan met de auto veertien etages hoger en hebben een geweldig uitzicht over de stad.

Ten slotte breekt de tijd weer aan om naar huis te gaan, maar niet nadat ze voor alle kinderen een aardigheidje gekocht hebben in Grand Rapids, waar zoveel Hollandse namen op de winkels staan.

Het afscheid is emotioneel. Astrid heeft haar zakdoek nodig en de mannen staan stoer te doen, maar Lynn huilt openlijk. 'Bij leven en welzijn hopen wij volgend jaar naar jullie toe te

komen en we houden via de mail contact.'
Ze hebben een voorspoedige terugreis. Op Schiphol wachten Iemke, Lennard, de kinderen en Mandy hen op. Ze zijn expres met twee auto's gekomen. Het is een heerlijk weerzien, alsof ze jaren in plaats van weken weg geweest zijn. Iedereen praat door elkaar, maar als de koffers gearriveerd zijn, gaan ze vlug naar de auto's. Ze hebben 's nachts gevlogen. Het is in Nederland negen uur in de ochtend. Als ze thuis zijn is het eerste wat ze missen Bobs vrolijk welkomstgeblaf, zijn gekwispelstaart, het tegen hen opspringen, zodat ze zich vast moeten houden om niet te vallen. Astrid mist hem zo hevig. Gelukkig is er afleiding genoeg, de verhalen over en weer, het cadeautjes uit pakken.

Als ze het een en ander verteld hebben, is Astrid opeens zo moe, ze trekt wit weg. Mandy ziet het en zegt: 'Mam, ga lekker een poos naar bed, je hebt vast in het vliegtuig niet veel geslapen.'

Dat lijkt Astrid een uitstekend idee, heerlijk, weer in haar eigen bed. Ze soest nog wat na, ziet alle beelden aan zich voorbijgaan, en ze dankt God voor de geweldige reis en de behouden thuiskomst.

Het is volop lente nu ze weer terug zijn. Voordat ze weggingen was het steeds nog koud en guur weer. Er was nog bijna geen groene knop te zien, voorjaarsbloemen waren er bijna niet. Nu ze weer thuis zijn, is de lente volop uitgebroken en Astrid verbaast zich erover dat er na twee weken zo'n nieuwe wereld op hen wacht. Het lijkt wel of ze extra welkom geheten worden.

In mei is ze jarig, ze hoopt dan zestig jaar te worden. Ze huren met kinderen en kleinkinderen twee huisjes op een bungalowpark. Dat kan mooi in de meivakantie.

Ze treffen het met het weer. Het is zonnig en al warm voor de tijd van het jaar. Ze genieten er allemaal van. De oudste klein-kinderen kunnen alle vier goed met elkaar overweg en ze zijn allemaal dol op de kleine Anne.

Ze hebben bewondering voor Jan Willem, die feilloos met Katja omgaat. Zo zelfs dat Katja er wat liever door geworden is. Hij laat haar dingen doen die híj wil, maar geeft Katja daar-bij het gevoel dat zíj het bedacht heeft.

Zijn moeder is deze winter overleden; daar heeft hij veel ver-driet van gehad, het is nooit meer goed gekomen tussen zijn moeder en hem.

Hij heeft vele pogingen gedaan: schrijven, opbellen, bij haar langs gaan, maar ze deed alsof ze geen zoon had. Brieven kwa-men ongeopend retour. De telefoon werd meteen ingedrukt als moeder zijn nummer zag, ze deed de deur niet open als hij aan-belde. Niets hielp. Katja heeft hem heel goed opgevangen. Zijn zusje en broer hebben hun uiterste best gedaan om een ver-zoening tot stand te brengen, maar er mocht nooit over Jan Willem gepraat worden.

Voor Katja en Jan Willem zijn deze dagen met de hele familie dan ook een weldaad. Jan Willem heeft, tijdens een wandeling, een lang gesprek met zijn schoonvader. Hij tobt erover dat het niet goed gekomen is met zijn moeder, dat ze zo gestorven is. Zijn broer en zusje hebben alles geregeld, met hen heeft hij wel contact gehad. Zij vonden het ook vreselijk dat hun moe-der zo halsstarrig was.

'Mijn zusje heeft vaak genoeg geprobeerd met moeder te pra-ten over de hele kwestie, maar altijd sloeg ze dicht als ze ero-ver begon. Ze hebben gezocht of er misschien toch nog een briefje zou liggen, maar er was niets te vinden. Katja heeft haar zelfs nog nooit ontmoet en de meiden vroegen vaak of ze ook eens naar dié oma toe mochten. Ik heb het toen zo kinderlijk mogelijk aan hen verteld. Ik vind het vreselijk.'

'Je moet dit overgeven, Jan Willem, jij hebt er alles aan gedaan wat in je vermogen lag om je met haar te verzoenen, daar moet jij geen schuldgevoelens aan overhouden,' zegt Bert nu.

'Ik had haar mijn excuses aangeboden en om vergeving gevraagd als zij vond dat het mijn schuld was, maar ze heeft het nooit geweten. Ze wilde het niet weten. Ik begrijp het nog steeds niet.'

'Ik geloof niet dat jij je schuldig hoeft te voelen, je heb al het mogelijke gedaan, ik neem aan dat je het ook in gebed aan God voorgelegd hebt?'

Bert struikelt over een boomwortel, Jan Willem kan hem nog net grijpen zodat hij niet valt. 'Dat heb je ervan als je niet kijkt waar je loopt.'

'Ik ben zo blij met deze woorden,' zegt Jan Willem. 'Ik voel me gewoon bevrijd hierdoor. Dankjewel.'

Daarna komen Mandy en Rob hen achterop lopen, de kleine Anne in een draagzak op Robs rug. 'Hebben jullie het nog naar je zin?' vraagt Bert. Dat hoeft hij eigenlijk niet te vragen, ze genieten zichtbaar. Anne is in slaap gevallen.

Astrid geniet van haar verjaardag, al haar kinderen om haar heen, zonder wanklank. Lennard houdt zich in.

De laatste avond gaan ze met elkaar wokken en dan krijgt Astrid haar cadeau: een grote lijst met de foto's van alle kinderen en kleinkinderen. Haar liefste wens. Ook van alle kleinkinderen bij elkaar is er een foto en dan ook nog eens elk kind apart. Van Bob is er ook een mooie foto bij, met de oren omhoog. Zijn trouwe ogen kijken haar aan.

'Wat is dit geweldig allemaal,' zegt ze, 'jullie hadden me geen groter plezier kunnen doen.'

Bert gaat weer fietsen met Karel nu het weer zo mooi is, ze genieten er allebei van. Astrid heeft haar bezoekadresjes.

Ze wil het niet weten voor de anderen, ook voor Bert niet, dat ze tegenwoordig zo gauw moe is, en dat is niets voor haar, ze bruiste altijd van energie. Toen ze bij Charles en Lynn waren was ze soms ook moe, maar dat kwam van al dat ongewone, dacht ze, als ik eenmaal weer thuis ben, is dat wel weer over. Maar het lijkt wel of het steeds erger wordt. Ze heeft ook niet veel trek meer in eten.

Ze past nog altijd twee dagen op, en dat valt haar steeds zwaarder, Anne is een ondernemend kind dat niet graag in de box ligt. Ze heeft een flink gewicht, dus haar optillen kost ook de nodige inspanning. Ze is vlug, kruipt de hele kamer door, trekt aan alles wat ze te pakken krijgen kan. Mandy heeft al een paar keer gevraagd of het haar niet te veel is, maar dat wil ze niet toegeven. Ze ziet wel dat Mandy haar onderzoekend aankijkt als ze Anne op komt halen, maar dan doet ze of ze nog druk ergens mee bezig is.

Steeds vaker gaat ze een uurtje op de bank liggen, maar zodra ze iemand binnen hoort komen, is ze al overeind.

Al langer heeft ze last van een zeurderige pijn in haar onderbuik. Zal ze toch maar eens naar de dokter gaan? Maar dat stelt ze liever nog uit, bang dat de dokter zal zeggen: 'Waarvoor kom je hier,' maar nog veel banger dat de dokter haar naar het ziekenhuis door zal sturen.

Zo tobt ze nog een poosje door, tot ze op een nacht een hevige pijnaanval krijgt, die gepaard gaat met misselijkheid en overgeven. Bert wordt ook wakker en slaperig vraagt hij: 'Wat is er?' Met moeite komt hij overeind, maar Astrid moet alweer hollen naar het toilet. Wat later zakt ze uitgeput op bed neer, kreunend van de pijn.

Bert is een en al zorg: 'Zal ik de dokter bellen?' vraagt hij, als ze inwit met gesloten ogen naast hem ligt. Maar als hij merkt dat ze bijna buiten bewustzijn is, aarzelt hij geen moment.

Na een kwartier staat de ambulance voor de deur en wordt Astrid naar het ziekenhuis gebracht.

Ze wordt meteen grondig onderzocht, krijgt een injectie tegen de pijn en een zetpil tegen de misselijkheid, en daarna valt ze in slaap. Bert wordt naar huis gestuurd met de mededeling dat hij de volgende ochtend weer terug mag komen. Als ze nu nog een paar uur slaapt, is het mogelijk dat ze zich daarna al een stuk beter voelt.

Min of meer gerustgesteld gaat hij naar huis en nog een poosje naar bed, maar van slapen komt niet veel meer. Hij maakt zich ongerust, hoe ernstig is dit? Hij brengt haar in gebed bij God en wordt daar zelf ook rustig van, daarna slaapt hij toch nog een paar uurtjes.

Als Astrid wakker wordt, kijkt ze verbaasd om zich heen, wat is er gebeurd? Meteen is er een verpleegkundige, die vraagt: 'Zo, wakker, lekker geslapen?'

'Hoe kom ik hier?' vraagt Astrid verbaasd.

'U bent hier vannacht binnengebracht, u had veel pijn. Hoe is het daarmee?'

'Pijn? Ik héb helemaal geen pijn. O ja, dat is zo, ik hád pijn en was misselijk, maar moest ik daarom naar het ziekenhuis? Wie heeft dat bedacht?'

'U was buiten bewustzijn, toen bent u met de ambulance hierheen gebracht,' zegt de verpleegkundige.

'Wat nu? Kan ik zo meteen weer naar huis?'

'Straks komt de dokter, eerst moeten er allerlei onderzoeken gedaan worden, en daarna hoort u wel verder.'

Dat is iets waar Astrid helemaal niet op gerekend heeft. Teleurgesteld draait ze haar hoofd om. De verpleegkundige hoeft haar tranen niet te zien.

Op dat moment komt Bert de kamer in. 'Hoe is het nu met je? Ben je nog misselijk, heb je veel pijn? Heb je nog een beetje geslapen?'

Astrid moet nu toch een beetje lachen. Wat een vragen. 'Ik voel me best, heb geen pijn en ben niet misselijk. Ik vroeg aan de

zuster of ik naar huis mocht, maar er moeten eerst nog allerlei onderzoeken gedaan worden, dat viel me een beetje tegen.'
'Laten ze eerst maar 's goed kijken waar dit vandaan komt. Als alles goed is ben je toch gerustgesteld?'
Ja, dat zal wel, maar in die onderzoeken heeft ze weinig zin. Er ligt een mevrouw bij Astrid op de kamer. 'Dat valt wel mee hoor, daar zou ik me niet ongerust over maken,' zegt ze.
Even later komen ze haar halen, ze wordt van de ene specialist naar de andere gestuurd, er moeten foto's gemaakt worden. Ze hebben Bert al gezegd dat hij beter naar huis kan gaan, want deze onderzoeken kunnen lang duren. Ze heeft een akelige dag en 's avonds, als Bert komt, ligt ze uitgeteld op bed.
De dokter komt nog even kijken: 'Gaat het wel?' vraagt hij. 'Ja hoor, ik ben alleen erg moe.'
'En als ik nou zeg dat u morgen naar huis mag?'
Verrast kijken ze elkaar en de dokter aan. 'Morgen?' vraagt Astrid verbaasd.
'U hebt alle onderzoeken gehad, de uitslag van de meeste weten we nog niet. We kunnen op het ogenblik niets voor u doen. U moet wel een paar weken astronautenvoeding eten, dan zal die misselijkheid wel wegblijven. Als we alle uitslagen hebben, hoort u van ons en dan weten we hoe het verder met u gaat.'
Meteen is hij de kamer uit, hen niet in de gelegenheid latend om nog een vraag te stellen.
Astrid is blij. 'Heerlijk, naar huis morgen.'
Bert is bezorgd, is dit goed nieuws of juist niet? Ze moeten de uitslagen maar afwachten. 'Ik ben ook blij dat je thuiskomt, ik ga nu gauw naar huis, ik zal even kijken of er nog een broeder of zuster is die weet hoe laat je weg mag, dan kom ik je halen.'
Hij wil gauw naar huis, de kinderen bellen en proberen om hulp te krijgen.
Als hij belt, biedt Mandy spontaan aan om een paar dagen vrij

te nemen en als Anne te druk is voor mam, dan mag ze haar bij Iemke brengen, die heeft haar diensten ook al aangeboden. Bert is blij dat alles zo vlug geregeld is, want Astrid zal wel zeggen dat ze helemaal geen hulp nodig heeft.

Maar dat ze lang niet goed is, ziet hij wel, ze is ook veel afgevallen de laatste weken.

Ze maken er toch een klein feestje van, de volgende dag; een bloemetje in huis, wat lekkers bij de koffie. Alle kinderen komen om beurten even langs, anders zou het te druk worden voor Astrid. Ze ligt op de bank in de huiskamer, met veel kussens. 'Als de prinses op de erwt,' zegt ze zelf. Ze geniet van het thuis-zijn, al is ze maar twee nachten van huis geweest. Ze voelt zich een stuk beter met de medicijnen en de astronautenvoeding. Erg lekker is het niet, maar dat maakt haar niets uit.

De week daarop moet Astrid naar het ziekenhuis voor de uitslag van de onderzoeken. Daar krijgen ze de grote klap. De kanker is terug en het gezwel is inoperabel. Het wordt hun voorzichtig genoeg meegedeeld. Met chemokuren zou het kleiner en ingekapseld kunnen worden. Stel dat het daarvan geslonken is, dan zou misschien alsnog een operatie kunnen volgen, maar die kans is klein, zegt de chirurg er meteen bij. Ze kunnen het niet bevatten. Astrid zit er wezenloos bij. Bert poetst zijn bril en snuit zijn neus. 'Ik begrijp dat dit een erge teleurstelling voor u is,' zegt de oncoloog, 'we willen er alles aan doen, maar ik mag u niet teveel hoop geven.'

'Hoe lang heb ik nog te leven?' vraagt Astrid met schrille stem.

'Daar hebben we het nog niet over; als de kuren aanslaan, misschien nog jaren.'

'En zo niet?'

'Mevrouw, daar kan ik niets van zeggen, ik ben onze lieve Heer niet.' Het klinkt hun niet leuk in de oren, maar ze zeggen niets meer.

'Gaat u maar naar de informatiebalie, daar krijgt u papieren mee waar alle inlichtingen op staan,' zegt de dokter, terwijl hij opstaat en zijn map met het dossier oppakt. 'Ik zie u spoedig terug.' En daarmee kunnen ze gaan.

Aangeslagen gaan ze naar huis, Bert had dit helemaal niet verwacht, Astrid had het diep vanbinnen wel gevoeld, maar het weggedrukt.

Bert belt de kinderen of ze 's avonds willen komen. Ook schoonzus Anneke vraagt hij te komen. Als hij dan vertelt wat er mis is, zijn ze allemaal ontdaan. Mandy gaat staan om haar moeder een knuffel te geven. Katja denkt: Waarom kan ik nou nooit zo spontaan zijn? Iemke zit met tranen in haar ogen en Lennard heeft een brok in zijn keel.

Eerst weten ze geen van allen wat ze zeggen moeten, daarna beginnen ze allemaal tegelijk vragen te stellen. Astrid zit er al die tijd zwijgend bij, ze heeft haar lippen stukgebeten.

'Mam, we zijn er allemaal voor je en voor vader ook,' zegt Jan Willem en daar stemmen ze allemaal mee in. Ze gaan al gauw naar huis, omdat ze zien dat Astrid erg moe is.

Als ze weer samen zijn, zegt Astrid: 'Ik ben heel boos, ik wíl dit niet, ik kan geen afscheid nemen van jullie. Het is niet eerlijk. Waarom? Waarom laat God dit toe, of straft Hij me ergens voor?'

Bert wil haar in zijn armen nemen, maar ze duwt hem weg. 'Nu niet, en ga ook niet zeggen dat God ons helpen zal, of dat het Zijn schuld niet is. Laat me alsjeblieft een poosje alleen, dan kan ik gillen van kwaadheid. Ik vind het niet eerlijk, ik ben zo boos, we hadden nog zoveel plannen, ik ben net zestig. Ga nou, ga nou weg, ga maar een eindje om, laat me alleen …'

Vreselijk vindt Bert het, maar hij begrijpt dat het haar ernst is en hij doet wat ze zegt. Onderweg kan hij alleen maar vurig voor haar bidden. Hij vindt het zo verschrikkelijk dat ze hem niet toelaat bij haar verdriet. Hij popelt om weer naar huis te gaan, maar toch loopt hij doelloos nog straten verder.

Astrid gilt als ze alleen is, roept boos dat ze dit niet wil, dat het niet eerlijk is. God, waarom?

Als ze eindelijk doodmoe op een stoel neerzakt en een beetje tot zichzelf komt, komt er toch een rust over haar. Ze denkt: Ik leef toch nog? Ik zal vechten en misschien hebben de dokters het mis, misschien helpen die chemokuren en leef ik nog twintig jaar. Wezenloos zit ze te wachten, tot Bert thuiskomt. Ze laat nu wél toe dat hij haar in zijn armen neemt en huilt met haar hoofd tegen zijn schouder.

'Ik heb alleen maar lopen bidden onderweg,' zegt hij gesmoord.

Door haar tranen heen lacht ze een bibberig lachje: 'Dat heb ik gevoeld, want opeens werd ik rustiger. Ik dacht: ik ga knokken om beter te worden en nog zo lang mogelijk te leven. God kan wonderen doen, daar geloof ik in. In mijn geval geloof ik dat God dat wonder ook doen zal. Want ik vind het niet eerlijk, ik ben zó opstandig.'

Bert hoort haar aan. 'Laat het nu allemaal rustig bezinken, laten we het samen bij de Heer brengen. Opstandig en boos zijn mag. Lees de vele psalmen maar waarin David en andere psalmisten tegen God in opstand komen en boos op Hem zijn.'

En, denkt hij, je mag dan in wonderen geloven, maar zoals je er nu over denkt, dwing je God om dat wonder te doen. Als dat niet gebeurt, ben je nog net zo opstandig. Maar dat wil hij nu niet zeggen.

Als ze samen gebeden hebben, is ze toch wat rustiger geworden. Ze slaapt heel gauw, in tegenstelling tot Bert die nog lang wakker ligt en ondanks zijn gebed de toekomst toch met veel zorgen tegemoet ziet.

15

Het wordt een moeilijke tijd voor allemaal. Astrid is erg moe, maar ze wil daar niet aan toegeven. Echter, van de chemokuren wordt ze steeds ziek, telkens als de een is uitgewerkt en ze zich wat beter voelt, is ze alweer aan de volgende toe. Ze ligt vaak op bed, of in de huiskamer op de bank. Bert doet allerlei werkjes in huis, en Mandy komt zo vaak ze kan. Maar dan moet ze Anne naar haar buurvrouw of naar Iemke brengen, want het meisje is veel te druk voor Astrid; ze kruipt de hele kamer door, trekt zich overal aan op en vraagt veel aandacht. Bert zegt op een ochtend: 'Het wordt voor jou straks te veel, je moet rekening houden met je nieuwe kindje, ik zal proberen een hulp voor een ochtend in de week te krijgen.'

Juist die middag komt Katja even kijken hoe het met haar moeder is. Als Bert over zijn plan voor een hulp begint, zegt Katja dat zij waarschijnlijk wel iemand weet. Een oud-collega van haar van de thuiszorg is zestig geworden en met pensioen gegaan, maar ze heeft al gezegd dat ze het werk erg mist, zodat ze vast wel weer een ochtend werken wil.

Dat gebeurt en zo komt Lia hen voortaan op vrijdagochtend helpen. Ze is een hartelijke vrouw, die rustig haar gang gaat. Wat Bert ook zwaar valt, is koken, hij heeft nog nooit in de keuken gestaan, dus dat doet hij nu ook maar niet. Hij eet vaak een kant-en-klaarmaaltijd, even in de magnetron en klaar. Astrid eet kleine beetjes, een potje kleutervoeding, gemalen aardappels, groente en vlees, en daar laat ze meestal de helft nog van staan. Ze eet tussendoor vaak een paar hapjes yoghurt.

Gelukkig heeft ze niet veel pijn, maar ze voelt zich ziek en moe, hoewel de misselijkheid is afgenomen.

Steeds als ze voor controle naar het ziekenhuis moet, blijkt de tumor gekrompen. Daaraan houdt Astrid zich nu vast. Steeds vaster gelooft zij dat het wonder zal gebeuren, dat ze weer helemaal gezond wordt. Dat ze zich zo ziek voelt, accepteert ze en ze denkt dat het er wel bij zal horen.

Bert heeft dagen dat hij diep in de put zit en dat niet aan Astrid wil laten merken. Ze kent hem echter zo goed dat ze het wel doorheeft.

Mandy komt elke dag wel even en daar knappen ze allebei van op. Ze brengt Anne vaak mee, al is het maar voor een kwartiertje. Ze is nu bijna uitgerekend, soms overvalt Astrid de gedachte: zal ik haar kindje nog zien? Andere dagen is ze vol goede moed, God gaat dat wonder toch laten gebeuren?

De dominee komt elke week, soms maar vijf minuten. Hij heeft vaak het gevoel dat Astrid hem meer bemoedigt dan hij haar.

Op een middag komt Mandy ook nog even, ze is alleen. 'Ik ga weer gauw, ik heb zo'n gevoel dat Annes broertje of zusje geboren wil worden. Ik heb telkens iets wat op een wee lijkt, zo'n steek in mijn rug.'

'Ga dan maar gauw,' raadt Astrid haar aan. 'En heel veel sterkte, ik denk aan je en bid voor je,' laat ze er, bijna onhoorbaar, op volgen. 'Je belt, al is het midden in de nacht, hoor,' waarschuwt ze nog.

Bert die net binnenkomt, zegt: 'Wát bellen, midden in de nacht?'

Mandy schiet in de lach: 'Je kleinkind wil geboren worden.'

Anne klampt zich aan Berts been vast: 'Opa, opa.'

Hij tilt haar hoog boven zijn hoofd. Ze schatert van de lach.

'Ik ga gauw naar huis,' zegt Mandy, terwijl haar gezicht vertrekt van de pijn.

'Gelukkig dat je vlak bij woont, zal ik je even brengen?' vraagt Bert.

'Wel nee, ik ben zo thuis en jullie horen van me, van ons.'

Vol spanning wachten Astrid en Bert de hele middag en avond. Astrid is meteen na het eten naar bed gegaan, maar geslapen heeft ze nog niet als Bert om half twaalf boven komt. Als ze dan eindelijk toch allebei slapen, gaat de telefoon: 'Oma, je hebt er een kleindochter bij,' zegt Mandy. 'Alles is prima, de bevalling redelijk vlot verlopen, alleen niet zo vlug als bij Anne. Het is een flinke meid, we denken dat ze ruim acht pond weegt en als het goed is kun je haar horen' Astrid hoort babygekrijs op de achtergrond. 'Kind, wat heerlijk voor jullie. Hartelijk gefeliciteerd. Rob ook. Ja, ik hoor haar. Hier is pappa nog even.' Ze geeft de telefoon aan Bert, en zegt: 'Vraag eens hoe ze heet.'
'Mam vraagt hoe ze heet.'
'Priscilla Astrid, en we noemen haar Prisca. Kom je gauw kijken, en denk je dat mam ook nog even mee zal kunnen komen?'
'We zien wel hoe het morgen is met mam, ze wil natuurlijk dolgraag.'
'Ga nog maar gauw een poosje slapen,' zegt Rob, die de telefoon van Mandy overgenomen heeft.
Dankbaar en blij zijn Astrid en Bert. 'Ons zesde kleinkind, van harte welkom.'
'Prisca,' Astrid proeft de naam, mmm, wel leuk, ja. Hoe zal Anne reageren? 'Ik wil morgen even naar hen toe, ik neem wel een extra pilletje in. Ik ben zo verlangend om het kindje te zien en Mandy. We zullen een mooi boeket kopen.'
Bert is alweer bijna in slaap als hij zegt: 'Laten we danken voor het nieuwe leven en voor het gezinnetje.'

Astrid heeft het nog op kunnen brengen om op kraambezoek te gaan. Ze heeft haar nieuwe kleinkind bewonderd, maar is daarna doodmoe thuisgekomen.
Daarna gaat het snel achteruit. De tumor is niet groter gewor-

den, maar ze is zo ziek, ze kan bijna geen eten meer verdragen; een beetje water, soms een schepje yoghurt. De dokters begrijpen niet waar het door komt, totdat er opnieuw foto's genomen worden en dan blijkt dat er op meerdere plaatsen uitzaaiingen zijn in de lever en in de longen. Over een wonder praat ze niet meer. Ze is te ziek om opstandig te zijn, ze heeft alle kracht nodig voor haar zieke lichaam.

'Bert, het gaat verkeerd met me, maar ik vind het niet erg meer, ik voel me zo ziek,' zegt ze, als ze een redelijke dag heeft.

Bert neemt haar voorzichtig in zijn armen. 'Ik kan je niet missen, liefste,' zegt hij schor.

'Ik jullie ook niet, maar ik ga naar het Vaderhuis, denk je eens in, daar ben ik niet ziek meer. Maar vooral verlang ik ernaar om mijn Heer, mijn Vader, mijn Verlosser te zien. En ik wil zo graag dat de kinderen en kleinkinderen afscheid van me nemen nu het nog kan.'

Bert ziet er erg tegenop om de kinderen uit te nodigen, maar Astrid zegt: 'Geef mij de telefoon maar,' en ze nodigt alle kinderen en ook de kleinkinderen uit om afscheid te komen nemen. Steeds moet ze een poosje rusten voordat ze de volgende op kan bellen.

Zo gebeurt het dat de kinderen om beurten komen, voor elk van hen heeft ze een persoonlijk woord. Tegen allemaal zegt ze: 'Zullen jullie op pappa letten? Hij is zo onpraktisch.' Maar het belangrijkste is dat ze hen op God wijst en hen met klem raadt om Hem nooit in de steek te laten. 'Maar dan nog: Hij houdt júllie vast.'

Als Lennard komt, wordt het moeilijk. Hij zegt maar ja om zijn moeder niet te kwetsen, maar dat heeft ze wel door. 'Ik heb altijd voor jullie allemaal gebeden, maar het meest misschien wel voor jou, Lennard. Je hebt de Heer nodig, ook al ontken je dat, ook al maak je in je boeken een karikatuur van

Hem. Ik bid dat God je dat zelf zal laten zien, en kwets Iemke niet met je opzettelijk schoppen tegen God en godsdienst. Je weet het, je bent erbij opgevoed en juist daarom weet je de christen in zijn zwakste punt te raken.'

'Mam, ik wil je nog niet missen, je geloofde toch in het wonder dat God je beter maken zou? Doe je dat nu niet meer? Maar ik zal goed over je woorden nadenken. Dat beloof ik.'

Katja huilt alleen maar als ze bij Astrid is: 'Ik wil je niet kwijt, mam, ik ben boos, waar blijft nou dat wonder?'

'Daar heb ik het eerst ook heel moeilijk mee gehad, ik wist zo zeker dat ik beter worden zou, dat God een wonder zou verrichtten. Totdat ik voelde: nee, zo mag ik niet meer bidden, dat is afdwingen. God had wat anders met me voor,' en nu beginnen haar ogen te stralen, 'denk je eens in, Katja, lief meisje van me, eeuwig bij de Here. Geen pijn, geen ziekte. Alleen maar volkomen geluk.'

Katja ligt geknield voor het bed van haar moeder, haar hoofd op het dekbed. Astrids smalle, witte hand streelt haar haren. 'Ik ben zo blij dat Jan Willem en jij een fijn huwelijk hebben, dat het goed is tussen jullie. Zul jij ook de Here zoeken?'

Katja praat eroverheen.

'Ik wil Mirthe en Sifra ook nog spreken, misschien morgen als ik me een beetje beter voel,' zegt Astrid, hierover moet ze niet verder gaan, voelt ze wel aan.

Met Mirthe heeft ze een heel indringend gesprek, het meisje is onverschillig, wil van God en godsdienst niets weten. Ze zegt dat ze eerst keiharde bewijzen wil hebben voordat ze geloven kan. Ze is ook heel boos dat God, als Hij er is, oma niet beter maakt.

'Ik zal veel voor je bidden,' zegt Astrid vermoeid. Maar op Mirthe maakt dat nu geen indruk.

Steeds zwakker wordt ze, ze is dankbaar dat ze de gesprekken met de kinderen en kleinkinderen achter de rug heeft.

Bert zit vaak uren naast haar bed. Ze hebben een ziekenhuisbed in de achterkamer laten zetten en 's morgens komt er iemand van de thuiszorg haar wassen en haar bed verschonen. Als dat gebeurd is, is ze doodop.

Soms voelt ze zich even wat beter, dan wil ze Bert bemoedigen. Ze zegt dat hij niet alleen moet blijven. Hij is geen man om alleen te zijn. Maar Bert wil hier helemaal niet van horen. 'Je blijft toch nog wel een poosje bij ons?' vraagt hij dan. 'Zolang het mag,' is Astrids antwoord.

Ze wil graag dat hij haar voorleest. Eerst nog de krant. Maar wat later heeft ze daar geen belangstelling meer voor. Dan leest hij voor uit de Bijbel, of hij leest haar een gedicht voor dat haar dierbaar is. Ze heeft een hele rij gedichtenbundels in haar boekenkast staan. Soms slaapt ze daarna even, of ze suft weg.

Mandy brengt regelmatig haar kindjes bij Iemke en komt dan een poosje naar huis, dan kan Bert even weg. De andere middagen komt Iemke. Katja kan er niet tegen, ze vecht, wil niet aanvaarden dat haar moeder stervende is.

De kleinkinderen mogen steeds om beurten vijf minuten naar oma toe. Sifra zingt heel zuiver en ze heeft een mooi stemmetje. Haar taak is het om te zingen voor Astrid. Daar geniet ze van. Veel pijn heeft ze gelukkig niet.

Ook Anneke komt elke dag wel even langs. Veel meer dan stil naast haar bed zitten en haar hand strelen, kan ze niet, soms slaat Astrid haar ogen even op, dan is er een klein glimlachje van herkenning. Spreken kan ze niet meer. Ze begrijpt wel wat er tegen haar gezegd wordt, dat kunnen ze uit de uitdrukking op haar gezicht opmaken. Maar steeds langer slaapt ze, half in coma, tot ze haar echt niet meer bereiken kunnen. Zo ligt ze toch nog twee weken, en dan, zomaar stilletjes, glijdt ze uit dit leven weg. Bert is bij haar, de laatste nachten hebben de kinderen om beurten gewaakt.

Bert blijft nog stil zitten, hij neemt afscheid van haar. Er is een glimlach om haar lippen, haar gezicht ziet er jonger en ontspannen uit. Nog even alleen met zijn liefste zijn.

Bij de begrafenisdienst is de kerk vol. Het is een evangelisatiedienst, juist zoals Astrid gewenst heeft. De dominee preekt over Romeinen 14. 'Als wij dan leven, het is voor de Here, en als wij sterven, het is voor de Here. Hetzij wij dan leven, hetzij wij sterven, wij zijn des Heren.' Dus of we nu leven of sterven, we zijn altijd van de Here.
Sifra heeft gevraagd of ze mag zingen, het vers dat oma zo graag hoorde: Jezus is de goede Herder.

Als je 's avonds niet kunt slapen, als je bang in 't donker bent, denk dan eens aan al die schaapjes, die de Heer bij name kent.

'Denk je dat je dat kunt, of moet je dan huilen?' vraagt Katja, die zich nog herinnert dat ze zo ontroerd was toen het lied tijdens haar trouwdienst gezongen werd.
'Het gaat echt wel, mam, ik vraag of de Here mij helpt om het zonder huilen te zingen.' Katja kan niet begrijpen waar dit kind van haar het geloofsvertrouwen van heeft. Lobke heeft een mooie tekening gemaakt, die ligt op de kist. Mirthe heeft een gedicht gemaakt, dat mag ze ook op de kist leggen.
Bas wil vertellen hoe fijn hij het met oma had. Maar die stoere Bas moet zo huilen, dat Iemke het maar van hem overneemt. Ze slaat haar arm om hem heen, en zo probeert hij het nog eens, maar het lukt niet. Iedereen is ontroerd. Bij Bert lopen de tranen over de wangen, Mandy pakt zijn hand, als troost.
Tijdens het condoleren na de begrafenis staan opeens Charles en Lynn voor Bert. Hij wist wel dat Mandy gemaild had dat

Astrid overleden was. En nu opeens dit, hij is er ontroerd van. De kinderen begrijpen wie deze mensen zijn. 'We komen morgen wel even,' zegt Charles, 'we logeren in een hotel, dus maak geen drukte voor ons.' Het is een fijne afleiding voor Bert als ze komen. Hij wil niets liever dan steeds maar weer vertellen hoe alles gegaan is. Charles zegt dat ze toch al het plan hadden om naar Holland te gaan, en daarna een reis naar Zwitserland en Italië te maken.

Na al die drukke dagen is het stil in huis. Bert kan het nog niet bevatten, hij valt in een diep gat. Hij slaapt slecht en als hij eindelijk ingedommeld is, hoort hij Astrids zwakke stem. De kinderen staan om hem heen, maar het lijkt wel of hij het amper opmerkt. Ze vragen om beurten of hij wil komen eten, en in het begin doet hij dat ook, maar later beseft hij dat het zo niet blijven kan, dat hij zijn eigen weg moet zoeken, alleen in huis. Hij gaat vaak naar Karel, die hij nu veel beter begrijpt, omdat hij ook nog treurt om het verlies van zijn vrouw. Wat is het huis akelig leeg als hij thuiskomt en er niemand is aan wie hij zijn verhaal kwijt kan. Hij is verdoofd van verdriet, soms zit hij zomaar een uur stil, een andere keer is hij zo onrustig dat hij loopt te ijsberen door het huis. 's Avonds alleen in het grote bed overvalt hem het telkens weer: nooit meer, nooit meer die lieve lach, nooit meer die opbeurende woorden. Nooit meer die arm om hem heen. Nooit meer dat lieve lichaam. Nooit meer die diepe gesprekken waarin ze het lang niet in alles eens waren, maar juist het zich scherpen aan elkaar mist hij. De nachten duren lang, de dagen duren lang. Hij heeft tijdelijk zijn ambt van ouderling neergelegd, hij zou het niet aankunnen om op bezoek te gaan. Anneke komt vaak even langs en vraagt hem ook nog al eens te eten. Soms zegt hij botweg 'nee', een andere keer gaat hij graag op haar verzoek in. De dominee komt elke week wel even, net zoals toen Astrid nog leefde.

Als het Bert allemaal te veel wordt, pakt hij zijn fiets en zomaar, doelloos, rijdt hij, hij wil doodmoe thuiskomen en alles vergeten. Hij mist Bob ook nog weer meer, en denkt erover weer een hond te nemen, maar ach, nee, toch maar niet.

Hij gaat wel trouw op bezoek bij de oude dame waar Astrid altijd heen ging. Daar vindt hij een luisterend oor. Maar soms hoeft Bert niets te zeggen, dan is zij aan het woord. Ze is ondanks haar leeftijd heel goed bij. Kan overal over mee praten: politiek en kerkelijke zaken. Overal heeft ze een heldere kijk op. Ook zij heeft verdriet om het heengaan van Astrid, die haar elke week trouw bezocht. Ze was niet in staat om naar de begrafenis te gaan, maar Bert heeft de cd van de dienst voor haar meegenomen, samen luisteren ze daarnaar en praten er samen over na. Berts schouders schokken, nóg wil hij niet laten merken dat hij huilt, maar als mevrouw De Wilde een hand op zijn arm legt, breekt hij.

Hier, bij mevrouw De Wilde, hoeft hij zich niet groter voor te doen dan hij is. Ze is als een moeder voor hem. Haar lopen ook de tranen over de wangen.

Bij de kinderen wil hij zijn verdriet zo min mogelijk tonen; die hebben zelf hun verdriet.

16

Zo gaan twee jaren voorbij. Bert heeft zijn leven langzamerhand weer wat opgepakt. Het fietsen met Karel, zo heerlijk door de polder, kan hem weer bekoren. Natuurlijk voelt hij zich vaak alleen, maar hij is een midweek met Mandy en Rob en de kindjes weggeweest. Hij heeft geschaterd om Anne, die een bijdehante opmerking maakte. Weer lachen? denkt hij, hoe kan dat nu? Maar als hij naar dat snuitje met die pretoogjes kijkt, denkt hij: Wat zou Astrid hiervan genoten hebben.

Hij heeft ook het bezoekwerk weer opgepakt, evenals zijn ambt van ouderling. Wat kan hij nu de mensen die een verlies lijden goed begrijpen.

Hij heeft hun hulp, Lia, aangehouden. Eén ochtend in de week. Met haar heeft hij ook goede gesprekken.

Bert denkt soms aan Astrids woorden: 'Jij moet niet alleen blijven, daar ben je geen man voor, zoek een lieve vrouw als ik er niet meer ben.' Maar iemand anders in haar plaats? Nee, hij is echt niet van plan om op zoek te gaan naar iemand die bij hem past. Een kennis wiens vrouw weggelopen was, vertelde hem dat hij via een datingsite op internet een lieve vrouw gevonden heeft. Maar nee, dat is niets voor hem.

's Avonds komt hij nog steeds thuis in een leeg huis; geen luisterend oor, niet samen rustig lezen bij de open haard. Alleen naar bed. Soms blijft hij tot diep in de nacht op, zo'n hekel heeft hij aan die lege slaapkamer en dat grote bed. Toch lost dat niets op. Maar op zoek naar een ander? Hij moet er nog niet aan denken.

Waar hij wél over nadenkt, is om de uitnodiging van Charles en Lynn aan te nemen en een paar weken naar Amerika te gaan. Hij twijfelt, maar de kinderen zeggen: 'Pa, het is toch een geweldig aanbod, waarom doe je het niet?' Bert kan nog niet besluiten. Ook daar zal hij zijn Astrid zo missen.

Door het overlijden van Astrid heeft hij wel weer wat meer contact met zijn broer Matthijs, in Zambia. Jaren had deze niets van zich laten horen, Bert wist niet eens in welk land hij woonde.

Vlak voor Astrids dood kreeg hij een mailtje van Matthijs. Hij maakt het goed, is getrouwd met een Zambiaanse en heeft twee kinderen. Later heeft Bert hem geschreven over Astrids sterven, en over de kinderen en kleinkinderen. Zo speelt hij af en toe met de gedachte om zijn broer en schoonzus op te gaan zoeken. Matthijs is al jaren niet in Nederland geweest, Zambia is zijn nieuwe vaderland.

Maar ook hiervoor maakt hij geen vaste plannen. Hij kan niet besluiten en blijft dus gewoon thuis.

Op sommige momenten is het gemis zo groot. Hij vraagt zich af waar God is in dit verdriet. Maar hij weet ook het antwoord: God ís er, maar Bert is er niet. Hij vraagt zich vertwijfeld af waar zijn geloof nu is. De eerste maanden na Astrids overlijden leefde hij dicht bij God, hij voelde Gods troostende arm om zich heen. Hoe komt het dan dat hij nu zover van dit alles verwijderd is? Zijn huisbezoeken doet hij op de automatische piloot. Hij bidt met de mensen, maar soms zijn dat alleen woorden, zijn hart is er niet bij.

Hij leest af en toe in Astrids dagboek. Niemand wist dat ze een dagboek bijhield. Het ligt met haar Bijbeltje in de lade van zijn nachtkastje. Vaak heeft hij er troost uit geput.

Tussen de gewone dingen van alledag heeft ze soms een gebed opgeschreven, daar zoekt hij nu naar. Kan ze, over het graf heen, hem helpen om God weer te vinden? Of wil God juist op déze manier door hem gevonden worden? Hij zoekt en leest dan: Heer, wilt U mijn leven zo besturen dat ik niet van Uw weg afdwaal? Bewaar mij voor verkeerde beslissingen. Geprezen zij de Heer, dag aan dag draagt Hij ons. Die

God is ons heil. Dit heeft ze geschreven toen ze al wist dat ze sterven ging.

Stil zit hij met het kleine boekje in zijn hand. Dit, weet hij dan, terwijl er vrede in zijn hart komt, dit is het, hij moet zich overgeven en niet langer zelf vechten. God bestuurt zijn leven. Hij kan zijn verdriet en zorgen bij God brengen. Zo krabbelt hij langzaam maar zeker toch op uit het diepe dal.

Het is alweer mei, bloemen bloeien, er is bloesem aan de bomen. De avonden worden weer lang en licht. Het is al vanaf half april echt lenteweer. Zonnig, niet te warm, en 's nachts af en toe een buitje. Bert stapt vaak op de fiets, ook met Karel gaat hij vaak op stap.

Mevrouw De Wilde bezoekt hij trouw elke week in haar aanleunwoning. Zo ook op deze zonnige middag. Op zijn bellen wordt er opengedaan door een hem onbekende vrouw, ongeveer van zijn leeftijd. 'Ik wist niet dat mevrouw De Wilde bezoek heeft, ik kom volgende week wel,' zegt hij.

Vanuit de kamer horen ze roepen: 'Kom verder Bert, even een kopje thee kan toch wel?'

Als ze binnen zijn, stelt mevrouw De Wilde hen aan elkaar voor. Bert Verhoef, Ine Du Bois. Bij het noemen van Berts naam gaat er een schokje door de vrouw heen. Ze kijkt hem scherp aan, mompelt iets, maar Bert heeft niets in de gaten. Hij trekt een stoel onder de tafel vandaan en gaat zitten.

Ine is opeens druk: 'U wilt wel thee? Hoe drinkt u de thee?'

Als ze het kopje voor hem neerzet, zegt ze zacht: 'Bert, ben jij het werkelijk?'

Hij moet een beetje lachen om haar verbaasde gezicht. 'Denk je dat je mij ergens van kent?' vraagt hij. Hij kijkt haar nu beter aan en opeens ziet hij ook iets bekends.

'Tineke Bakker?' zegt hij weifelend. 'Maar ...'

Mevrouw De Wilde zegt: 'Kennen jullie elkaar soms van vroeger?'
'Ja, maar die naam …' aarzelt Bert.
'Het klopt,' zegt Ine, 'vroeger was het Tineke Bakker, maar de naam van mijn man was Jean Paul Du Bois en hij vond Ine mooier, ik weet nu niet beter of ik heet Ine.'
Mevrouw De Wilde zit op het puntje van haar stoel en wil geen woord missen.
Verbaasd kijken ze elkaar aan, Tineke en Bert. Meer dan veertig jaren vallen weg.

Bert is achttien, Tineke zestien. Ze gaan al een jaar stiekem met elkaar, Bert zit een klas hoger dan Tineke. De hele school weet het, maar hun ouders mogen het niet weten. Ze zijn verliefd, nee, ze houden echt van elkaar. Ze beloven elkaar trouw tot de dood. Bert zit in zijn laatste schooljaar, dus na het examen kunnen ze elkaar niet meer stiekem ontmoeten op school.
Daarna gaat hij werken.
Dan komt de dag dat Bert van zijn werk komt en zijn ouders hem opwachten. 'Wat hebben we nu van je gehoord? Dat je met dat meisje van Bakker gaat, die is toch rooms-katholiek?'
Hij knikt. Zijn vader vraagt of hij daar niets op te zeggen heeft. ' Je bent veel te jong, en je begrijpt vast wel dat dit niet door kan gaan, of is ze alleen maar een vriendinnetje?
Zoek dan toch een ander, want dit kan natuurlijk niet, dat begrijp je vast wel.'
'Ik zou niet weten waarom niet! Wat is er op tegen?'
'Dat leg ik net uit: ze is katholiek. Je kunt er beter mee stoppen, dat begrijp je zeker wel?'
'Nee, dat begrijp ik niét, we houden echt van elkaar en we geloven in dezelfde God.'
'Ik wil hier nooit meer iets van horen. Twee geloven op één kussen, daar slaapt de duivel tussen.'

Berts ouders zijn wel het een en ander gewend op het gebied van liefdesperikelen met de oudere broers van Bert. Ze tillen er niet zo zwaar aan, hebben al vaak gezien dat zo'n jeugdliefde vanzelf weer overgaat.

Maar Bert is wel degelijk onder de indruk. Hij gaat met hangende schouders naar boven, ploft op zijn bed neer en huilt. Ook haar ouders zijn boos, zo erg zelfs dat ze naar de andere kant van het land verhuizen. Tineke is enig kind en ze heeft zoveel verdriet dat ze er mager van wordt.

Bert heeft er ook een aantal jaren veel verdriet van gehad, tot hij Astrid, een net, gereformeerd meisje ontmoette. Zij leek helemaal niet op Tineke, die was klein, blond en tenger. Astrid was donker, even groot als Bert, en een beetje mollig. Hij is later nooit meer op zoek gegaan naar Tineke, ze hebben al die jaren niets meer van elkaar gehoord.

En nu? Na zoveel jaar staan ze onverwachts tegenover elkaar. Bert grijpt haar handen. 'Dat je het werkelijk bent, Tineke, ik had nooit gedacht ... Ik ben helemaal perplex.'

In een paar woorden vertellen ze mevrouw De Wilde de geschiedenis. Later vertel ik wel meer,' zegt Bert, 'ik ga nu naar huis.' Tineke volgt hem naar het gangetje. Hij grijpt haar bij de schouders. 'Mag ik je telefoonnummer? Ik wil je bellen, ik wil je graag nog eens spreken, tenminste, als jij het ook wilt,' laat hij er timide opvolgen. Haar ogen stralen. Ik wil niets liever dan dat, denkt ze, terwijl ze haar adres en telefoonnummer in Berts opschrijfboekje zet. 'Je hoort heel gauw van me.' Bert is heel enthousiast, zijn gedachten zijn weer helemaal terug naar de tijd dat ze zo aan elkaar verknocht waren.

's Avonds belt hij haar al. Hij hoort aan haar stem dat zij het ook spannend vindt. Ze maken een afspraak voor de volgende dag. Bert zal naar haar huis komen, ze woont ongeveer drie kwartier rijden bij hem vandaan.

Als hij in bed ligt, moet hij steeds aan haar denken. Hoe is het mogelijk na zoveel jaar en dan ontmoet je elkaar zomaar bij mevrouw De Wilde. Hij kan bijna niet wachten tot de volgende dag. Waar heeft ze gewoond, is ze met een Fransman getrouwd? Heeft ze kinderen? Ze was in ieder geval ook blij hem te ontmoeten, dat merkte hij duidelijk. Morgen zal hij alles horen. Dan vertoeven zijn gedachten opeens weer bij Astrid. Hij heeft haar ooit wel verteld van zijn vriendinnetje. Ze hebben een fijn huwelijk gehad, lief en leed gedeeld, er waren ups en downs zoals in ieder huwelijk. Over de opvoeding van de kinderen waren ze het niet altijd eens, ook over geld waren er wel eens woorden, maar hun huwelijksboot zonk niet, ze hielden echt van elkaar. Kan hij nu zomaar opeens weer iets voor Tineke voelen? Eindelijk valt hij biddend in slaap. 'Heer, U kent mij, U bestuurt mijn leven, leer mij te gaan waar ik heen moet.'

Mandy komt 's middags nog even met de kindjes. Het kost Bert moeite om niets te vertellen van zijn ontmoeting de vorige dag, maar nee, dit is te vroeg, nog even afwachten. Anne kruipt meteen bij hem op schoot: 'Haaltje tellen, opa?' fleemt ze. En Bert vertelt van het grote paard dat een veulentje heeft. Hij maakt er een spelletje van. Eindeloos moet hij het vertellen, altijd vindt ze het weer interessant en speelt ze mee.

Om zeven uur die avond rijdt hij weg. Vol verwachting over wat hij te horen zal krijgen. Hij kan de straat gemakkelijk vinden. Ze woont op de negende verdieping van een torenflat. Hij zoeft met de lift naar boven en even later staat hij voor haar deur, die al openstaat. Wat verlegen begroeten ze elkaar. 'Kom maar gauw binnen, kon je het makkelijk vinden?' 'Ik reed hier zo naar toe. Hij loopt achter Tineke naar binnen.

Ze heeft nog steeds het springerige haar van vroeger, alleen is het nu wit, vroeger was het rood.

'Ga zitten, wil je koffie? Melk en suiker?'

'Graag alleen een schepje suiker.'

Als even later de koffie voor hen staat, moeten ze elkaar eens goed bekijken. 'Tineke, dat je het echt bent ... Ongelooflijk. Vertel me wat je al die jaren gedaan hebt. Begin maar bij het begin.'

'Dat was toen ik thuiskwam en mijn ouders gehoord hadden dat wij verliefd waren. Ze waren heel boos, net als jouw ouders waarschijnlijk. Ik mocht niet meer alleen naar buiten, mijn vader, die bij de politie werkte zoals je weet, kon naar Maastricht overgeplaatst worden, zaten we lekker ver bij jou vandaan. Maar dat weet je, want ik heb je een briefje toe gesmokkeld waarin ik dat schreef.'

'Een briefje? Maar dat heb ik nooit ontvangen.'

'Ik voelde me doodongelukkig in onze nieuwe woonplaats. Een nieuwe school, geen vriendinnen; ze moesten allemaal lachen om mijn Groningse dialect.'

Hij kan het nog horen, maar ook dat ze jaren Frans gesproken heeft, soms moet ze zoeken naar het goede woord.

'En wat het ergste was: ik had liefdesverdriet. Ik héb me wat nachten in slaap gehuild, ik kon maar niet begrijpen waarom wij niet van elkaar mochten houden.

Maar het werd allemaal nog erger. Na een paar jaar begon ik een beetje te wennen, ik had weer een vriendin waarmee ik mijn hartsgeheimen delen kon, toen mijn vader aankondigde dat we naar Canada gingen emigreren. Ik wou hier blijven, maar daar kwam niks van in, ik was nog niet meerderjarig, dus ik moest mee. Mijn school bij de nonnen had ik afge-maakt, en ik had een baantje op een kantoor als jongste bediende. Maar daar gingen we, alle schepen werden achter ons verbrand. Ik had nog steeds een beetje moed dat ik, als ik

21 was, jou op zou gaan zoeken, dat kon dus nu ook niet meer. In Canada voelde ik me doodongelukkig. We zaten in Quebec. Ik moest dus Frans spreken, dat was nooit mijn sterkste kant, dus een baantje zoeken was ook moeilijk. Mijn ouders probeerden toen alles om me het leven een beetje aangenaam te maken. Ik keek nooit naar jongens, want jij was het nog altijd voor mij. Vriendinnen kreeg ik daar ook niet, de buren woonden een paar kilometer verderop. De kerk was ver weg, maar op zondag gingen we altijd naar de mis. Dat was het enige uitje van de hele week.

We hielden daar kippen, geiten en varkens, mijn vaders droomwens, en we hadden een grote groentetuin, daar mocht ik in werken. Maar hij hield zijn baan bij de politie ook aan. Elke dag reed hij zestig mijl naar zijn werk.' Ze pauzeerde even.

'Ik ga eerst nog koffie inschenken, ik krijg een droge keel van al dat gepraat.'

Bert hing aan haar lippen, geen woord wilde hij missen. Dus toen ze koffie gehaald had, zei hij meteen: 'Ga door.'

'Ik moest even wat anders gaan doen, daarom bedacht ik dat ik wel koffiezetten kon, want wat ik je nu ga vertellen is zo vreselijk, daar moest ik even moed voor verzamelen.' Ze neemt voorzichtig een slokje van haar hete koffie, zet het kopje weer neer en gaat verder. 'Mijn moeder werd ernstig ziek, ze had multiple sclerose, al jaren, maar opeens werd dat heel agressief, ze kon bijna niet meer praten, ze lag hele dagen in bed. We zagen haar einde naderen. Mijn vader was zo veel mogelijk thuis, hij had onbetaald verlof genomen. Maar op een avond was er een vergadering waarbij hij aanwezig moest zijn. Het was midden in de winter en er lag een flink pak sneeuw. Toen is hij …' ze slikt en vecht tegen haar tranen, 'toen kregen we bericht dat hij dodelijk verongelukt was. Mijn moeder heeft het nog geweten, maar twee dagen later stierf ook zij. Mijn twee dierbaren in één klap weg, ze zijn samen begraven.'

Dan stort ze in, ze krijgt een enorme huilbui. Ze legt haar hoofd op tafel.

Bert streelt haar rug, aarzelt even, maar slaat dan een arm om haar heen. Hij houdt haar dicht tegen zich aan tot het snikken wat minder wordt.

'Ik schaam me zo,' fluistert ze, 'wat moet je wel van me denken?'

'Niets anders dan dat je dit verdriet nooit echt verwerkt hebt.'

Ze knikt, bedachtzaam.

'Ben je daarna teruggegaan naar Nederland?' Berts nieuwsgierigheid is gewekt. 'Maar als het teveel is voor je, dan ga ik nu naar huis en praten we morgen verder.'

'Als jij het niet te laat vindt worden?'

'Als jij vertellen wilt, blijf ik bij je, al is het de hele nacht.' Hij schrikt zelf van zijn voorstel.

Tineke schijnt het niet in de gaten te hebben, afwezig speelt ze met het gouden kruisje aan haar ketting.

'Ik wil graag doorgaan, ik heb dit eigenlijk nog nooit aan iemand verteld. Zal ik nog koffiezetten, of wil je iets sterkers drinken?'

'Ik drink nooit als ik nog rijden moet.'

'Wil je dan een mok warme chocolademelk?'

'Graag.'

Wat later zet ze de mok voor hem neer, voor haarzelf heeft ze er ook een ingeschonken, een schaal met theebeschuitjes zet ze ernaast.

Ze gaat weer zitten, durft hem niet aan te kijken. Ze kijkt ook niet op als ze vervolgt: 'Er kwam een collega van pa, van de politie, die aanbood om me te helpen met alle papieren rompslomp. Ik was veel te blij dat er ten minste iémand was die zich mijn lot aantrok.

Hij kwam vaak, er was veel te regelen, en ik was zo lamge-slagen door mijn verdriet dat ik alles maar over me heen liet komen. Teruggaan naar Holland? Wie of wat had ik daar? En hier was tenminste iemand die zich om me bekommerde; om mijn centjes, zoals later bleek. Pa was een echte potter, er was veel geld. Toen we nog in Nederland woonden, belegde hij vaak geld en dat had hij in Canada ook gedaan. En ik, onno-zele gans, dacht dat Jean Paul mij alleen maar helpen wilde. Op een avond dat ik, zoals zo vaak, in mijn eentje zat, kwam hij ook even aan. Ik moest nog een handtekening zetten. Wist ik veel waaronder. Toen zei hij dat hij me een aardige meid vond en dat we wel konden trouwen als ik dat wilde. Ik was perplex en vond het wel een raar huwelijksaanzoek, maar hij was nou eenmaal erg zakelijk.

Ik moet toegeven dat ik ongelooflijk naïef was, ik ben er met open ogen ingetrapt. Ik was nog verdoofd van verdriet, en eenzaam. Ik moest alleen ons boerderijtje beheren, dat in de loop der tijd aardig uitgegroeid was. Wat kon ik anders dan ja zeggen? Hij was iemand die met me meedacht, me overal mee geholpen had, hij was me toch wel vertrouwd geworden, dus stemde ik toe in een huwelijk. Liefde voelde ik alleen voor jou, niemand zou ooit jouw plaats in kunnen nemen.'

Bert steekt gedachteloos nog een beschuitje in zijn mond; wat heeft dat arme kind veel meegemaakt. En dat ze altijd van hem is blijven houden … Hij wrijft door het weinige haar dat hij nog heeft.

'En toen?' vraagt hij, automatisch.

'Hij had zijn zin, want mijn geld was zijn geld. Dat het hem daar om te doen was, daar kwam ik pas achter toen het te laat was, toen waren we getrouwd. De eerste tijd dacht ik: Als we maar eenmaal een paar kinderen hebben, dan heb ik iets van mezelf om voor te zorgen. Maar die kinderen kwamen niet en zo hebben we jaren langs elkaar heen geleefd. Hij was niet slecht voor me, maar had wel altijd aanmerkingen over teveel geld dat ik volgens hem uitgaf. Hij had de boerderij verkocht en we waren in de stad gaan wonen. Gasten ontvangen vond hij zonde van het geld, dus veel contacten kreeg ik nooit.

Zo hebben we ruim dertig jaar geleefd, eigenlijk als vreemden, we wisten niets van elkaar. Hij was 's avonds vaak weg, ik vroeg nooit waar hij naartoe ging, ik vond het wel rustig zo. Ik keek heel veel televisie in die tijd en ik verslond het ene boek na het andere. Wat ik wel erg miste, waren de dieren om me heen.

Op een avond brachten ze hem thuis: hij was plotseling overleden aan een hartinfarct. Het rare was dat ik hem toen toch miste. Het was goed dat ik de taal redelijk geleerd had, want wat er toen allemaal aan papieren op me afkwam … Ik had me daar nooit mee bemoeid, dat wou hij niet.

Ik besloot toen terug te gaan naar Holland, ook al had ik hier geen familie meer, behalve mevrouw De Wilde, een achternicht van mijn moeder. Ik wist waar ze woonde, ik had een adreswijziging gekregen. Elk jaar stuurden we elkaar met Kerstmis een kaart, verder hadden we geen contact.

Waarom ik terugging, weet ik niet, misschien dacht ik dat ik me hier beter thuis zou voelen.'

Ze moet even diep zuchten.

'En toen?' moedigt Bert haar aan, 'hoelang woon je hier nu en ben je gelukkiger dan daar? En je geloof, had je daar steun aan, of geloofde je niet meer? Wij hebben er, zo jong als we waren, wel veel over gepraat. Ik herinner me dat je stiekem een keer mee geweest bent naar onze kerk.'

'Dat herinnerde ik me toen ik hier weer woonde. Ik ging in Canada altijd naar de kerk, maar het zei me niks, en Jean Paul ging mee vanwege zakenrelaties die daar ook kerkten. Maar wat je noemt: steun aan mijn geloof – ik zou niet weten wat dat is. Eén ding, of woord, is me altijd bij gebleven, waar ik dat ooit gehoord heb, weet ik niet: God zorgt ook voor jou. Daar moest ik vaak aan denken in alle verdriet en moeilijkheden.'

Ze onderbreekt zich zelf: 'Bert, ik wil eigenlijk niet dat je weggaat, maar kijk eens op de klok, het is bijna één uur en jij moet nog drie kwartier rijden.' Ze schuift het gordijn een eindje open en slaat dan haar hand voor haar mond: 'Kijk eens hoe mistig het is, ik kan de overkant niet zien.'

'Ik rij wel voorzichtig en ik stuur wel een sms'je als ik thuis ben, of slaap je dan al?'

'Ik kan vast de hele nacht niet slapen van alle indrukken en emoties, ik ga aan jou liggen denken.'

Hij pakt haar bij de schouders en drukt een kus op haar voorhoofd. 'Morgenmiddag kom ik weer, dat was afgesproken, we hebben elkaar nog veel te vertellen. Welterusten.'

'Slaap lekker, maar rij voorzichtig.'

Als Bert nog geen kilometer gereden heeft, is het opeens helder, en na drie kwartier is hij thuis.

Hij heeft genoeg om over na te denken. Tineke, zijn eerste grote liefde, wat een pijn en verdriet heeft hij gehad. Er was boosheid op hun ouders die hen wreed uit elkaar scheurden, omdat ze allebei bij een andere kerk hoorden. Het was in die jaren ondenkbaar om dan met elkaar om te gaan, bovendien waren ze allebei nog erg jong. Wat een ellendig leven heeft Tineke gehad, peinst hij. Dat ze elkaar nu weer ontmoeten moesten, kan geen toeval zijn.

Voor hij gaat slapen, vraagt hij: 'Heer, is dit uw weg met mij? Wilt U het me laten zien?' Maar hij is er eigenlijk al van overtuigd dat het zo heeft moeten zijn. Hij kan bijna niet wachten om weer naar haar toe te gaan.

De volgende dag om twee uur staat hij alweer voor haar deur. Zij is een beetje verlegen, merkt hij. 'Ik zit buiten op mijn balkon, wil je dat ook, of zit je liever binnen?'

Ze besluiten om buiten te gaan zitten, het is zulk mooi weer.

Al gauw komt ze met een blad met een pot thee en glazen en een schaaltje chocolaatjes erbij.

'Ik zou graag willen dat jij nu iets vertelt over jouw leven,' zegt ze, als ze de thee ingeschonken heeft.

Bert plukt eens aan zijn grijze sik.

'Toen jij weg was, heb ik veel verdriet gehad, maar dat zei ik gisteren al. Ik heb veel gebeden dat het voor ons goed mocht komen, maar ook voor jou, omdat je zo alleen was.

Ik moest in dienst toen ik twintig was. Bij een vriend ontmoette ik een aardig meisje, Astrid. Ik voelde me tot haar aangetrokken en zij was erg verliefd op mij; en omdat ik jou toch nooit terug zou zien, heb ik haar gevraagd mijn vrouw te worden.

We hebben een goed huwelijk gehad, ik ging steeds meer van haar houden; ze was heel anders dan jij, en dat was goed. Ze was heel sociaal, zag altijd om en leefde mee met anderen. We kregen drie kinderen, eerst een zoon, Lennard, toen een dochter, Katja en ons nakomertje Mandy. We hadden een leuk gezinnetje. Ik werkte bij een bouwonderneming, ben nooit rijk geworden, maar Astrid was een zuinige vrouw, ze knoopte de eindjes aan elkaar.

Lennard heeft gestudeerd, Nederlandse letteren, Katja wilde zo gauw mogelijk gaan werken, Mandy heeft de mavo gedaan en daarna is ze in een kinderdagverblijf gaan werken. We hebben eigenlijk alleen maar geluk gehad in ons gezin.

Lennard heeft een schat van een vrouw, Iemke, een zoon, Bas, en een dochter Lobke. Katja was eerst met Hugo getrouwd, maar is gescheiden, ze hebben twee meiden, Mirthe en Sifra. Later is ze met Jan Willem getrouwd. Mandy is getrouwd met Rob en ze hebben twee kleine meisjes, Anne en Prisca.

Ik zei al dat we erg gelukkig waren.

Ik heb veel van Astrid gehouden, maar anders dan ik van jou hield. Natuurlijk waren er wel eens strubbelingen, maar die komen in elk huwelijk voor. Ik ben gepensioneerd.

Astrid is bijna drie jaar geleden gestorven, na een vreselijk lijden, ik kan daar nog niet goed over praten. Eerst was ik boos en opstandig, later kreeg ik rust en putte ik kracht uit mijn geloof. Dat is mijn leven in vogelvlucht. Sorry dat ik alles door elkaar vertel, maar ... ik heb er moeite mee, ik vind het nog steeds een wonder dat ik zomaar jou opeens ontmoette.'

Zwijgend zitten ze zo een poos tegenover elkaar. Bert heeft haar hand gepakt. Voor Tineke hoeft hij maar één woord te zeggen, ze heeft hem immers nooit kunnen vergeten. Voor Bert is dit allemaal zo plotseling en heftig dat hij met zijn gevoelens niet goed raad weet. Hij zou haar in zijn armen willen nemen. 'Blijf niet alleen', hoort hij Astrid in gedachten weer zeggen, er is toch geen vrouw ter wereld met wie hij liever verder zou gaan?

Plotseling staat hij op, en neemt haar in zijn armen; zij klemt zich aan hem vast. 'Tineke,' zegt hij gesmoord

Ze trekt hem mee naar binnen. 'De buren hoeven ons niet te zien,' mompelt ze, met haar hoofd nog steeds tegen zijn schouder.

Ze zakken bij de keukentafel neer, kijken elkaar aan. Tineke lacht, met tranen in haar ogen. 'Is dit echt waar? Droom ik niet?'

'Mijn lieve Tineke, het is een droom, een mooie, echte droom. Als je nu wakker wordt, ben ik nog steeds bij je. Weet je wat? We gaan het vieren, straks gaan we gezellig ergens eten.'

Dankbaar kijkt ze hem aan. 'We kunnen nog uren praten, ik wil alles van je weten. We gaan nu een glas wijn drinken. Ik heb van tante Gerrie een fles gekregen, zij drinkt nooit wijn, maar iemand heeft die voor haar meegebracht. Moet je nu horen, zit ik over een fles wijn te praten, terwijl ik de gelukkigste vrouw ter wereld ben.'

Bert moet lachen om haar spontane opmerking, hij voelt zich volstromen met geluk.

Als ze die avond in een rustig restaurantje een tafel in een aparte hoek gekregen hebben, gaan hun gesprekken door. Alles willen ze van elkaar weten. 'Hoe zullen jouw kinderen het opnemen?' vraagt ze gespannen. 'Daar heb ik aan zitten denken. Ik weet nog niet hoe ik het zeggen zal. Ik denk dat ik er eerst met Mandy alleen over praten moet. Zij is mij toch het meest vertrouwd, mijn oogappeltje. Ze was altijd het zonnetje in huis. Ze wist soms met een paar woorden een twist tussen ons en de andere kinderen tot een oplossing te brengen. Maar misschien kan ik ze beter allemaal bij elkaar vragen. Dan weten ze het maar.' 'Ben je bang voor hun reacties?' wil Tineke weten, terwijl ze voorzichtig proeft van de heerlijke Ardenner ham met meloen. 'Bang?' Hij haalt zijn schouders op. 'Iemke en Lennard zullen het geweldig vinden, Mandy ook, maar Katja ... Zij is toch altijd een beetje een dwarsligger geweest. Altijd jaloers. Jan Willem heeft wel een heel goeie invloed op haar, maar ...' 'Weten ze iets van mij af, heb je hun verteld dat we vroeger ooit verliefd waren?' 'Astrid heb ik het wel verteld, en ik weet niet of zij met de kinderen daarover gepraat heeft, maar ik heb het nooit gezegd. Ik vond het tegenover Astrid niet aardig. Gisteren vroeg ik aan je of je in al die moeilijkheden steun aan je geloof had, je praatte er toen over heen, je zei dat je er eigenlijk niets van af wist.' 'Ik begrijp het nooit als mensen zeggen dat er een God is, ja, in de kerk, dat zal wel. Maar wat ik wel eens gehoord en gelezen heb: dat mensen een persoonlijke relatie met God hebben, daar kan ik me niets bij voorstellen. Ik heb alleen die ene zin,

die ik gisteren al zei: God zorgt voor jou.'
'Zou je dat willen? Ik bedoel, zou je God beter willen leren kennen? Weet je nog dat ik dat in het verleden ook aan je vroeg en dat je toen zei dat je best met me mee naar de kerk wilde en dat je veel meer van God en van het geloof wilde weten?'
De ober komt bij hen met het hoofdgerecht, dus Tineke hoeft niet meteen te antwoorden.
Als hij weer weg is, zegt ze: 'Dat herinner ik me nog, met je meegegaan naar de kerk; ik vond het wel mooi, zoals jij erover praatte. Maar nadat we verhuisd waren ... bij ons thuis werd nooit over zulke dingen gesproken. We gingen naar de mis, ik moest elke week biechten, en dan moest ik goed nadenken welke zonde ik begaan had, dus toen zakte wat jij daarover gezegd had, weg. Later dacht ik wel eens dat ik er meer van zou willen weten, maar er was niemand aan wie ik het vragen kon.'
Bert legt zijn hand op haar arm. 'Ik wil daar heel graag met je over doorpraten, bij jou of bij mij thuis. Op dit moment kan ik geen oog van je af houden, ik ben weer net zo verliefd als vroeger.'
Tineke bloost, ze weet niets anders te zeggen dan: 'Ik ook.'
'Ik zal morgen de kinderen bij elkaar roepen. Ik denk niet dat er grote moeilijkheden van zullen komen, maar ik kies voor jou. Wil je met me trouwen?'
Nu is ze helemaal van haar stuk gebracht; trouwen? Plechtig zegt ze: 'Ja, dat wil ik.'
'Heerlijk, wat jammer dat ik je hier niet kan omhelzen en kussen,' meesmuilt hij.

De volgende dag belt Bert zijn kinderen op en vraagt of ze 's avonds allemaal willen komen; hij zegt dat hij hun iets belangrijks mee te delen heeft. Allemaal beloven ze te komen. Ze gissen naar wat het zijn zal.

Katja denkt dat haar vader mee zal delen dat hij voor een half-jaar naar Amerika zal gaan. Mandy vermoedt een vriendin en Lennard zegt: 'We horen het vanzelf wel.'

's Avonds heeft Bert de open haard aangestoken, het is dan wel mei, maar opeens is het een stuk kouder geworden. Hij heeft wat lekkers in huis gehaald en is zeer benieuwd wat ze van zijn plan vinden. Hij heeft een recente pasfoto van Tineke gekregen. Zelf vindt ze dat ze er afschuwelijk op staat, maar Bert vindt dat ze er echt op staat zoals ze is.

Katja en Jan Willem arriveren als eersten, Mandy en Rob, die een oppas moesten hebben voor hun dochtertjes, vlak daarna. Iemke belt op om te zeggen dat Lennard nog niet thuis is. Of ze nog willen wachten, anders komt ze alleen en moet Lennard maar regelrecht naar Berts huis komen.

'Laten we dat maar doen', besluit Bert, Lennard kennende: die komt nooit ergens op tijd. Maar als ze er allemaal zijn en de koffie voor hen staat, is Lennard er ook al.

Bert zegt: 'Jullie zullen wel denken: Wat voor nieuws zal pa hebben dat we allemaal bij elkaar moeten komen. Dus ik val meteen maar met de deur in huis: ik ga weer trouwen.'

Er klinken uitroepen van verbazing. 'Zo ineens?'

'Waar haal je opeens een vrouw vandaan?'

Hij wuift met zijn hand om stilte en vertelt daarna van Tineke, zijn eerste liefde, en hoe hij haar weer bij mevrouw De Wilde ontmoet heeft. Over de ontmoetingen en de gesprekken daarna is hij kort.

Ze zijn eerst allemaal stil. Dan barst Katja in een hysterische huilbui uit. Tussen haar snikken door roept ze: 'Hoe kún je? Ben je mamma nú al vergeten? Je had zo'n verdriet, nou, dat was echt weduwnaarspijn.'

Mandy is opgestaan en naast haar vader gaan zitten. Ze slaat haar arm om hem heen. 'Trek het je niet aan, pap, je weet hoe

Katja is,' fluistert ze in zijn oor. Maar Bert is er toch ontdaan van.

Jan Willem heeft Katja stevig bij de schouders gepakt en zegt, door haar schreeuwen heen, luid en duidelijk: 'Gedraag je, hou op met dat huilen en gillen.' Hij is alleen maar blij voor zijn schoonvader, die hij heel graag mag.

Lennard heeft het allemaal met een onverschillige grijns aan zitten kijken. Wat een drukte voor niks, als die mensen denken dat ze gelukkig worden, laat ze dan.

Iemke gaat wijselijk nog maar eens koffie inschenken.

Als ze weer in de kamer komt, is Katja wat bedaard, ze frummelt met haar zakdoekje, snuit haar neus en kijkt haar vader aan. 'Wat nu?' vraagt ze dan, nog boos.

'Nu ga ik met Tineke trouwen. En natuurlijk ben ik mamma niet vergeten, dat zal ook nooit kunnen, we zijn gelukkig geweest, ik heb heel veel van haar gehouden. We hebben al die jaren lief en leed gedeeld. Samen met jullie, Lennard, Katja en Mandy, hebben we fijne jaren gehad, hoe zou ik dat allemaal kúnnen vergeten?

Mamma heeft zelf, toen ze al zo ziek was, een paar keer gezegd dat ik niet alleen moest blijven. En zie, ik heb helemaal niet naar een ander gezocht, daar was ik nog niet aan toe. We zien dit als besturing van boven, dit kan toch niet toevallig zijn?'

Bert moet even in zijn ogen wrijven.

Mandy is de eerste die wat zegt: 'Pappa, ik ben hartstikke blij voor jou en voor die Tineke ook. Wanneer mogen wij haar zien?'

Iemke valt haar bij: 'Mam zou niet anders gewild hebben. Heeft zij geweten van je jeugdliefde?'

'Zeker, dat heb ik haar allemaal verteld. Ook hoeveel verdriet ik gehad heb toen ons verboden werd elkaar ooit nog te zien. En om op jouw vraag terug te komen, Mandy, we dachten dat

het misschien goed is als ze jullie in jullie eigen thuis ontmoet, niet allemaal gelijk natuurlijk. Ze is jaren alleen
geweest, had geen mens om haar heen. Ze is getrouwd
geweest, maar ze heeft geen kinderen. Ach, jullie horen dat
misschien van haarzelf nog wel. We zullen wel afspraken
maken, jullie kunnen dan ook je kinderen inlichten.'
'Dat stelletje pubers,' vult Lennard aan.
Bert schiet in de lach, pubers, ja, dat zijn ze. 'Maar jullie kindertjes, Rob en Mandy, zijn nog lang geen pubers.'
Mandy haalt een fles wijn uit de kelder: 'We moeten toch
toosten op dit heugelijke feit,' zegt ze.
'Heugelijke feit,' moppert Katja nog, 'ik begrijp niet dat jullie allemaal hier zo blij mee zijn.'
Jan Willem legt een hand op haar mond. 'Begin nou niet
weer! Wat is er op tegen dat pa opnieuw geluk vindt en dat
nog wel bij zijn jeugdliefde? Nee, dit is geen toeval.'

Zo wordt besloten. Ze zullen eerst naar Iemke en Lennard
gaan, Bas en Lobke hebben beloofd dan ook thuis te zijn.
Maar als Bert en Tineke aankomen, blijkt dat Iemke alleen
thuis is. Dat vindt Tineke wel prettig.
Iemke heeft meteen een goede indruk van haar; ze kan wel
merken dat ze wat zenuwachtig is, maar het ijs is gauw gebroken. Iemke vertelt dat Lennard in aantocht is, hij staat in de
file. De kinderen zullen zo ook wel komen.
Inderdaad, even later is het gezin compleet. Bas doet onverschillig, maar stiekem kijkt hij wel goed naar Tineke. De
goedlachse Lobke is meteen met haar bevriend. 'Wat een gave
vriendin, opa, cool.'
Tineke moet erom lachen, ze is deze pubertaal helemaal niet
gewend.
Als ze thee gedronken hebben en wat gepraat hebben, gaan de
kinderen naar boven huiswerk maken en Lennard mompelt

iets van: Druk. Als hij naar boven is, vraagt Tineke: 'Is jouw man echt de Lennard Verhoef die boeken schrijft?'
En als Bert en Iemke knikken, zegt ze: 'Ik heb laatst een boek van hem gelezen, "Een slag in het duister" heette dat.
Bert wil er liever niet hier en nu op in gaan, en Iemke begint gauw over iets anders.
Na een halfuurtje staan ze op om weg te gaan. Als ze weer buiten lopen, zegt Bert: 'En, hoe vond je dit gezin?'
'Ik vind Iemke erg aardig, en de kinderen, daar moet ik nog aan wennen.'
'Het zijn een stel echte pubers, en bij Katja en Jan Willem is dat ongeveer hetzelfde, hoewel dat echte giechelmeiden zijn.'
'Waarom heb je over Lennard niets verteld?'
'Hoe vond je zijn boek?' vraagt Bert, zonder antwoord te geven op haar vraag.
'Ik had dit van een zoon van jou niet verwacht. Ik vond het erg mooi, maar ik heb altijd een hekel aan boeken waarin grove taal en vloeken staan. Ook dat laatdunkend doen over kerk en kerkmensen, alsof God helemaal achterhaald is. Het is wel heel knap geschreven, hoor.'
'Astrid had daar veel verdriet van en ik vind het ook niks. Gaan we nu naar mijn huis? En morgenavond volgens afspraak bij Katja en Jan Willem, want die werken hele dagen.' Bert heeft kennelijk geen zin om hierover nu door te praten.
Als ze daar de volgende avond komen, is Katja niet thuis. Jan Willem verontschuldigt haar, en meteen komen Mirthe en Sifra binnen rollen, al gillend van de lach. Bert houdt zijn handen voor zijn oren.
'Kan het ook iets rustiger?' vraagt Jan Willem. Ze hebben allerlei vragen aan Tineke hoe het was in Canada, of ze het hier in Holland weer leuk vindt, of ze opa lief vindt, en dan vallen ze weer bijna om van de lach.

Later hebben Tineke en Bert een gesprek met Jan Willem. 'Katja wilde hier niet bij zijn, ze kan er nog steeds niet tegen dat er een ander in ma's plaats komt. Pa heeft zeker wel verteld hoe ze gereageerd heeft,' zegt hij dan eerlijk.

'Ik heb dat allemaal gehoord, maar ze zal vast op den duur wel bij draaien,' zegt Tineke hoopvol.

'Ik schaam me voor mijn dochter,' zegt Bert, als ze weer buiten lopen.

'Nu nog naar Mandy en Rob, overdag, dan kun je de kinderen zien. Het zijn zulke schatten,' zegt hij vertederd. 'Rob werkt thuis, dat is makkelijk voor ons.' En inderdaad, dat bezoek verloopt prima en Anne en Prisca hebben meteen Tinekes hart gestolen.

Ze spreken af dat ze de volgende zondag allemaal koffie komen drinken, zodat Tineke het hele stel tegelijk kan ontmoeten.

'Heb je ook zin om mee naar de kerk te gaan?' vraagt Bert, als hij Tineke naar haar huis brengt.

'Zou ik dat wel doen? Is dat niet gek?'

'Ik zou het fijn vinden,' zegt Bert simpel.

'Goed, ik wil dat wel eens zien bij jullie.'

'Dan kom ik je al bijtijds halen.'

Tineke vindt dat het er in de kerk maar sobertjes uitziet. Het is een opgeknapte kleuterschool, ze vindt het maar saai. Zo heel anders dan een rijk versierde kathedraal, met de kruiswegstatie, heiligenbeelden en het altaar.

Wat haar wel opvalt, is dat er bij de ingang iemand staat om iedereen te begroeten. Dat de leden elkaar blijken te kennen. Ondanks de soberheid van het gebouw heerst er toch een bepaalde sfeer, die hartelijk aan doet. Het zingen van de psalmen en gezangen vindt ze prachtig, ze probeert alles mee te zingen.

Gasten worden welkom geheten. De dominee is een jonge-
man in een witte toga met een groene sjerp. Hij heeft een aan-
gename stem en hij boeit haar bij het eerste woord al.
Bert geeft haar af en toe een kneepje in haar hand, dat vindt
ze fijn.
Bij de uitgang staat de dominee, die iedereen een hand geeft.
'Even voorstellen,' zegt Bert. 'Dit is Tineke Du Bois, mijn
aanstaande vrouw.'
'Bert, wat geweldig, blijf je nog koffiedrinken? Dan kom ik
even aan jullie tafeltje zitten. Kennismaken.'
Ze hebben daarbij alleen een kort, informatief gesprekje, maar
maken een afspraak voor een middag in de week, om nader
kennis te maken.
Als ze naar huis lopen, vraagt hij: 'Is het je tegengevallen?'
'Nee, zeker niet. Eerst dacht ik: bah, zo'n kaal gebouw, maar
toen de dienst begon, was ik dat meteen vergeten. Het zingen
vond ik ook heel mooi. Het lijkt wel of het één grote familie
is, in die kerk. Ik ga volgende week weer mee.'
Dat antwoord stelt Bert zeer tevreden.

Iemke is er al, ze is aan het koffiezetten, Lennard komt wat
later. Wel zijn Bas en Lobke erbij. Bas is zeventien en een
lange, magere jongen. Hij geeft Tineke een hand. Opa krijgt
een knuffel, dat vindt Tineke bijzonder.
Even later komen Mandy en Rob met de kleintjes binnen en
vlak daarna Jan Willem met Mirthe en Sifra.
Katja is er niet bij ...
Bert wil niet laten merken dat hij boos is, maar wat is ze toch
koppig, wat was er nu makkelijker geweest om te komen nu
ze er allemaal zijn. Hij neemt zich voor om de komende week
nog eens met haar te gaan praten.
Even later, als de koffie op is, fluistert Tineke in Berts oor:
'Ben even weg, zo terug.'

Bert denkt dat het haar overweldigt, na het uiterst rustige leven dat ze had.

Maar Tineke loopt de paar straten door naar het huis van Katja.

Ze belt aan, Tineke voelt dat Katja door het raam gluurt en even later gaat de deur op een kiertje open.

'Jehova's getuigen, nee, dank u,' zegt ze, ze wil de deur weer dichtdoen, maar dat verhindert Tineke.

'Mag ik me even voorstellen: ik ben Tineke Du Bois. Katja, mag ik even met je praten?'

'Moet dat? Ik heb geen boodschap aan je.' Ze wil de deur weer dicht doen, maar Kaj, de hond, voorkomt dat. Hij steekt zijn snuit tussen deur en deurpost en snuffelt aan Tinekes hand.

Ze kriebelt hem tussen zijn oren en zegt: 'Heel even, een paar minuten maar. Geef me vijf minuten om met je te praten.'

Onwillig doet Katja de deur wat verder open. 'Het moet dan maar.'

Dit heb ik alvast gewonnen, denkt Tineke.

Katja blijft in het halletje staan. 'Moeten we hiér praten?' vraagt Tineke. Katja snapt dat dit toch wel heel ongastvrij is. Ze draait zich om en doet de kamerdeur open.

'Let niet op de troep, ik had echt geen zin om op te gaan ruimen; ik werk in de thuiszorg en dan schiet mijn eigen huis er nog wel eens bij in.'

'Mag ik even gaan zitten, Katja?'

Tineke gaat met opzet op de bank, naast Katja zitten.

'Vertel nu eens wat je zo dwarszit dat je mij niet ontmoeten wilt.'

Katja barst los. 'Wat dacht je? Ik kan het niet uitstaan dat pappa mam al vergeten is, ze waren gek op elkaar en hoe kan hij dan opeens met een ander aan komen? En zo gauw al.'

Tineke zeg: 'Denk je dat echt? Hoe zou dat kunnen. Iemand met wie je zolang getrouwd geweest bent, met wie je samen kinderen hebt gekregen, lief en leed hebt gedeeld, kleinkinderen samen hebt, die kún je nooit vergeten. Je vader zal je moeder nooit vergeten, we praten veel over haar. Je vader heeft me veel over haar verteld, foto's laten zien. Het lijkt wel of ik haar gekend heb. Vergeten? Nee, Katja, nooit. En het is al bijna drie jaar geleden dat je moeder stierf, vind je dat dan zo gauw? Bovendien, ik geloof dat het leiding van boven is, we hadden in al die jaren nooit iets van elkaar gehoord en opeens stonden we tegenover elkaar. Gun je je vader het geluk niet om op zijn oude dag een maatje te hebben met wie hij, naar ik hoop, weer gelukkig kan worden?'

Dan barst Katja uit in een vreselijke huilbui, tussen de snikken door zegt ze: 'Nu zie ik het, ik ben zo'n afschuwelijk jaloers en egoïstisch mens, ik leef alleen voor mezelf.'

Tineke slaat haar arm om Katja heen en trekt haar tegen zich aan. Kaj legt zijn kop als troost op Katja's been.

'Huil eerst maar even flink uit, dat lucht op. En schilder jezelf niet zwarter af dan je bent. Je vader heeft gezegd dat je een gouden hart hebt.'

'Ja, zo hard als goud,' snuft ze door haar tranen heen. Tineke schiet in de lach en dan moet Katja ook lachen, of ze wil of niet.

'Ik kwam je halen. Ga gezellig mee, niemand zal er wat van zeggen, ze zullen alleen blij zijn als je er bent.'

'Het verloren schaap,' zegt Katja.

'Kom, ga even je gezicht wat opfrissen.'

'Maar ik zie er zo uit in mijn ouwe kleren.'

'Ben je mal, meid, daar let toch niemand op.'

Met de armen om elkaar heen lopen ze even later de paar straten door. Kaj mag ook mee.

Mirthe ziet hen aankomen, met een gil slaat ze haar hand voor haar mond: 'Kijk nou eens. Mamma met Tineke. En ze wílde helemaal niet.'

Bert gaat gauw de deur open doen. Hij trekt hen allebei in zijn armen: 'Wat ben ik hier blij mee, meiden, kom gauw binnen, nu zijn we compleet.'

Katja valt haar vader om de hals en, spontaan als altijd, knuffelt ze hem en zegt: 'Pap, sorry hoor, wat ben ik toch een egoïstische rotmeid.'

'Je bent mijn lieve Katja,' zegt Bert met een schorre stem.

Mirthe en Sifra dringen om hun moeder heen: 'Ben je nou niet boos meer? En Tineke is zo lief.'

Jan Willem geeft haar een knipoog.

Even later hebben ze allemaal wat te drinken voor zich staan en er wordt honderduit gekletst over van alles en nog wat.

Sifra zegt opeens: 'Opa, vertel nou eens van vroeger toen jullie vriendjes waren?'

Als Bert gaat vertellen zijn ze allemaal stil, totdat Anne het zat wordt: 'Mamma, gaan we nou doen?' Het verhaal van opa interesseert haar niet. 'Wanneer gaan we een broodje eten?'.

Meteen horen ze Prisca, die een middagslaapje gedaan heeft. Ze roept: 'mamma, ikke uit.' Mandy haalt haar uit bed en geeft haar een schone luier; het lukt nog niet erg met zindelijk worden, zeker na haar middagdutje niet.

Iemke en Katja beginnen met het klaarmaken van de lunch en de mannen vragen of ze helpen kunnen.

17

Tineke en Bert hebben besloten om geen overhaaste stappen te ondernemen. Wel zijn ze van plan te trouwen, maar toch niet onmiddellijk. Er zijn nog heel veel dingen waar ze niet over uitgepraat zijn. Ze zien elkaar vaak. Zo ook deze middag. Tineke heeft een autootje gekocht, steeds met openbaar vervoer vergt veel meer tijd en daarbij komt het wachten op tochtige perrons. Nu is ze in drie kwartier bij hem.

'Weet je nog Bert, hoe stiekem we moesten doen om elkaar te zien? Want we begrepen best dat het onmogelijk zou zijn om verkering te hebben. Gelukkig dat wij Quispel hadden, die moest elke avond uitgelaten worden. Ik kon dus iedere avond een poosje weg.'

'Dan liepen we het Achterpad door, het parkje in, daar liepen we zo weinig mogelijk kans om ontdekt te worden. Ik verzon wel een smoes, huiswerk vergeten te vragen en zo. Dan kon ik naar een vriendje gaan. Bovendien waren jouw ouders veel strenger dan de mijne. Jij was enig kind, ik had vier broers, mijn ouders waren wel wat gewend.'

'Hoe is het trouwens met je broers, leven ze allemaal nog?'

'Alleen mijn jongste broer is nog in leven, ik zie hem nooit meer. We hebben wel wat contact per mail, sinds het overlijden van Astrid. Hij woont in Afrika en is met een Zambiaanse getrouwd; hij zou niet meer kunnen wennen in Nederland. Dat is Matthijs.'

'Zijn de anderen jong gestorven?'

'De oudste was pas 53, de anderen 68 en zeventig jaar oud, ja, vrij jong dus. Ik was op een na de jongste.'

Bert verandert van onderwerp: 'Weet je nog dat we op een keer stiekem naar onze kerk gingen? Toen zaten we boven op de galerij, helemaal achteraan.'

'Ik heb geen woord van die preek gehoord, heb alleen maar gelukzalig naar jou zitten staren. Toen ik twee keer mee geweest was, werden we verraden, en was het afgelopen. Toen ik thuiskwam, kreeg ik meteen de wind van voren. Of ik dacht dat ik met een gereformeerde knul thuis kon komen. Ik kreeg een pak slaag van mijn vader en kreeg huisarrest; vader zou Quispel voortaan uitlaten. Van school moest ik onmiddellijk naar huis komen. Wat heb ik elke avond in bed gehuild!

Al heel gauw hierna kon vader overgeplaatst worden, naar Maastricht, verder kon ook niet. Ik weet niet of jij me nog geschreven hebt toen we nog in Groningen woonden?' Vragend kijkt ze Bert aan.

'Ja, ik heb tot jullie gingen verhuizen briefjes geschreven, die aan je vriendin meegegeven. Toen gingen jullie verhuizen, ik had geen idee waarheen. Ik heb er eerst ook heel veel verdriet van gehad, en heb er ook om gehuild. Bij ons thuis deden ze er laconiek over, ze waren niet zo streng als jouw ouders, het bloedde vanzelf wel dood, dachten ze. Mijn grote broers pestten me ermee, dat deed zeer.

Vergeten ben ik je nooit, maar na een jaar of wat ontmoette ik Astrid, ze was het zusje van mijn vriend. Ik heb heel veel van haar gehouden.' Er trekt een wolk over zijn gezicht. Tineke legt haar hand op zijn arm.

Hij pakt die hand tussen zijn handen en zegt: 'Ik heb nooit gedacht of kunnen vermoeden dat ik jou tegen zou komen en dat de vonk meteen over zou springen. Wat wonderlijk. Ik zie hier Gods hand in, dit kan niet zomaar toevallig zijn. Dit is echt Zijn leiding. Ik kan nu weer zeggen dat ik gelukkig ben. Maar vertel eens: hoe ging dat in Maastricht?'

'Dat was één en al ellende; tegen mijn ouders sprak ik zo weinig mogelijk. Op school was het vreselijk. Ik kon die meiden niet verstaan, zat op een nonnenschool. Ze lachten mij uit omdat ik een raar taaltje sprak. Ik heb veel gelezen in die tijd en dat was een goede afleiding.

We waren lid geworden van de bibliotheek, leeszaal heette dat toen nog. En opeens kwam mijn vader met het verhaal dat we zouden emigreren naar Canada.'

Bert staat op en zegt: 'Wat ben ik een slechte gastheer, laat ik je zomaar op een droogje zitten. Ik ga gauw koffiezetten.'

Tineke lacht: 'Ik ben al zo brutaal dat ik in jouw huis koffie of thee zou zetten als ik daar zin in heb.'

Hij strijkt in het langslopen over haar hoofd en zegt: 'Wat ben ik blij dat ik jou weer ontmoet heb.'

'Volgende keer moet jij weer wat meer vertellen over jóúw leven,' zegt Tineke.

Maar Bert zegt: 'Moet dat echt? Het meeste weet je al.'

'Nou, het meeste,' twijfelt ze.

'Goed, een andere keer. Maar ik moet je nog eens zeggen dat ik zo blij ben dat je dat met Katja zo grandioos opgelost hebt.'

'Hoe kom je daar nu ineens bij?'

'Omdat ik dacht: Wát moet ik dan vertellen over mijn leven, er is zoveel gebeurd in al die jaren.'

'Vind je het leuk om volgende keer een fotoalbum erbij te halen? Dan kan ik zien hoe de kinderen eruitzagen toen ze klein waren.' Ze denkt: Dan ga je vanzelf wel vertellen. Dan kom je wel los.

'Als we een broodje gegeten hebben, ga ik meteen naar huis, jij moet toch naar die vergadering? Wat denk jij, zullen we een hond nemen?'

Bert schiet in de lach: 'Hoe kom je daar nu ineens bij?'

'Niet ineens, ik heb er al heel lang over lopen denken, maar ik weet niet of jij het wilt.'

'We hadden er vroeger ook een, Bob; ik vind het best. Ik heb hem erg gemist toen we hem moesten laten inslapen.'

Ze staan gelijk op, tegenover elkaar. Bert trekt haar in zijn armen en knuffelt haar, zodat ze bijna geen adem kan halen. Ze legt even haar hoofd tegen zijn schouder en dan vinden hun lippen elkaar in een lange kus.

Schorrig zegt Bert: 'Ik kan je niet meer missen, laten we heel gauw gaan trouwen, niet zo lang meer wachten.' Daar gaan hun plannen om nog een poosje te wachten met trouwen. Tineke heeft amper tijd om ja te zeggen omdat hij haar weer kust.

'Ik hou zoveel van je, elke keer ga je weer weg, ik hou dat niet vol.' Maar vandaag moet het nog wel. Ik kom morgen naar jou toe. De hele dag, kunnen we alles bespreken.'

'Breng je foto-albums mee?' vraagt Tineke als ze al in de auto stapt.

Onderweg bedenkt ze opnieuw dat het toch zo wonderlijk gelopen is, na zoveel jaren. Ze weet nu dat ze altijd van hem is blijven houden. Waarom zouden ze dan wachten met trouwen? Ze grinnikt in zichzelf: We hebben er de leeftijd voor. Die avond thuis overdenkt ze alles wat er is gebeurd, de kussen kan ze nog proeven op haar lippen. Wat zal ik aandoen als we gaan trouwen? Ik ga wat nieuws kopen. Waar gaan we wonen? Bert heeft veel meer ruimte dan ik.

Morgen hebben ze stof genoeg om over te praten.

Om half elf gaat de telefoon: Bert.

'Ik móést je stem nog even horen; heb je nagedacht of je echt met me trouwen wilt?'

Lachend zegt ze: 'Welterusten, morgen praten we verder, en, Bert, ik verlang nu alweer naar je.'

De volgende morgen belt Bert eerst naar het gemeentehuis, om te vragen of ze zo vlug mogelijk trouwen kunnen. De ambtenaar noemt een datum, eerst nog in ondertrouw, en dan …

Hij denkt na over de kerkelijke bevestiging. Het liefst zou hij hun huwelijk in een gewone morgendienst laten inzegenen, maar hij weet niet of Tineke dat ook fijn zal vinden. Hij neemt aan, dat ze hier in zijn huis gaan wonen, hij wil niet graag op een flat, en die van haar is veel te klein. En als ze nou eens heel ergens anders zou willen wonen? Daar moet hij toch even goed over nadenken.

'Op 6 juli gaan we trouwen,' roept Bert, als Tineke de deur opendoet.

'Dat heb je vlug voor elkaar, kom gauw binnen en vertel.'

Vlug kijkt ze op de kalender, dat is op een vrijdag.

Bert vertelt dat hij de ambtenaar van de burgerlijke stand gebeld heeft.

'En de inzegening in de kerk?'

Hij kijkt haar eens goed aan, hoe zal zij erop reageren?

'Ik zou het liefst in een gewone morgendienst een zegen over ons huwelijk willen vragen.' Hij is er een beetje verlegen mee.

'Kan dat? Ik zou het fijn vinden, alleen, al die ogen ...'

'Ze mogen toch wel naar de bruid kijken? We moeten nog even aan de dominee vragen of hij het wel wil.'

'Wat denk je?'

'Dat zal best voor elkaar komen. De kinderen weten het nog niet. Ik wil eerst vragen of onze eigen predikant het wel wil. En waar gaan we wonen?'

'Als het zou kunnen in jouw huis, ik ben dit flatje allang zat, en jij hebt zo'n heerlijke diepe achtertuin. Ik vind het ook een fijn huis.'

Bert haalt opgelucht adem. 'Dus jij vindt het een goede oplossing? Ik dacht dat jij misschien ergens anders opnieuw beginnen wilde of zo ...'

Tineke lacht: 'Was je daar bang voor? Maar er moeten nog wel wat spullen van mij bij kunnen.'

'Je kunt in mijn huis weghalen wat je wilt. Daar zijn we het dus gauw over eens.'

'Kun je die dominee niet opbellen?' Tineke wil er nu ook haast achter zetten.

'Ik moet even op internet op onze kerkelijke website kijken, wie er dan voorgaat. Maar dat is zo voor elkaar.' Even later roept hij blij: 'Onze eigen predikant.' Hij pakt zijn mobieltje en al gauw heeft hij dominee De Lange te pakken, die reageert met: 'Bert, jongen, wat fijn voor jullie! Man, dat vind ik een geweldige eer. Kunnen jullie ... 's even kijken ... aanstaande donderdagmiddag om twee uur bij mij langs komen voor een gesprek?'

'Dat lijkt me een goed idee.' Bert is blij dat de dominee begrijpt dat ze niet te lang willen wachten. Het gaat van een leien dakje. Ze spreken af dat ze de daaropvolgende dagen de kinderen zullen inlichten. Ze zullen wel opkijken.

Tineke wordt steeds enthousiaster. 'Nu kunnen we de tekst voor de kaarten ook meteen in orde maken. We hebben het er niet eens over gehad of we het in stilte vieren, met ons eigen clubje, of dat jij misschien graag een receptie wilt. Jij kent zoveel mensen, misschien ...'

'O nee,' roept Bert meteen. 'Ik heb daar vannacht over liggen denken. We drinken met de gemeente koffie in de kerk, zoals elke zondag, wij trakteren dan op cake of iets dergelijks, iedereen kan ons feliciteren en 's avonds geven we in diezelfde zaal een etentje met kinderen en kleinkinderen.' Hij denkt ook aan zijn gebed, die nacht. Hij dankte God voor zijn leiding, voor Tineke. Here Jezus, dit is geen toeval, dank U, dat Astrid me ook voorgehouden heeft: blijf niet alleen.' Maar dat hij juist nu Tineke ontmoeten moest. Echter, dit alles zegt hij niet tegen Tineke.

'Je hebt zeker niet veel geslapen,' lacht Tineke.

'Dat had ik er graag voor over!'

'Nu wil ik eerst eens rustig je foto's bekijken; je hebt toch wel een paar albums bij je?'

'Ik zal ze even uit de auto halen.'

Als hij terugkomt, heeft Tineke een glaasje wijn ingeschonken, ze gaan naast elkaar aan tafel zitten.'

'Ik begin met onze trouwfoto.'

'Wat een schattig bruidje,' zegt Tineke.

'De bruidegom telt niet mee zeker?' Bert voelt zich tekort gedaan.

'Naar een bruidegom wordt nooit gekeken,' zegt Tineke plagend.

Ze bladeren verder: 'Dit is Lennard, onze zoon, apetrots was ik. Zo'n rustig, tevreden manneke. Een jaar later kwam Katja; een rijkeluiswens: een jongen en een meisje. Katja was een huilbaby, dag en nacht waren we met haar in de weer, ze dronk slecht, en groeide niet goed. We maakten ons ongerust, maar toen ze een jaar was en lopen kon, was zelf doen haar motto en ging het veel beter. Weer een goed jaar later kregen we een jongetje dat maar een dag geleefd heeft.'

'Vreselijk, zeker?'

'We waren heel verdrietig. Dat lege wiegje, Astrid met een lege buik en lege armen. Het was heel erg. Kijk, een foto van het grafje.Toen kwamen er geen kindertjes meer, maar we wilden er zo graag nog een. Eindelijk, toen Katja acht jaar was, was Astrid weer zwanger. Kijk, op deze foto zie je haar, onze Mandy, ons nakomertje.'

'Wat een schatje, je oogappeltje.'

'De oudsten vonden het heel leuk, zo'n klein zusje. Hier staan ze met z'n drieën, een foto voor oma's verjaardag. Hier zie je haar, met de kinderen.'

'Is ze oud geworden, Astrids moeder was het toch?'

'Ze is 88 geworden. Ze was dement op het laatst, maar ze woonde op een zorgboerderij met allemaal dieren om haar heen; ze lachte daar meer dan toen ze nog op zichzelf woonde, ze was echt weer vrolijker geworden.'

'Wie is dit? Laat me raden: een zus van Astrid?'
'Heel goed, dat is Anneke, haar enige zus. Zij woont hier dicht bij, je zult haar binnenkort wel ontmoeten.'
Ze bladeren nog door, Bert vertelt, Tineke stelt af en toe een vraag.
'Ik zou wel wat willen eten,' zegt Bert op een gegeven moment.
'Sorry, het is al bijna twee uur, ik zal gauw boterhammetjes klaarmaken; schandelijk, ik verwaarloos je nu al. Het is ook zo leuk, al die foto's.'
'Die kun je nog vaak genoeg zien. Van onze reis naar Amerika is een apart fotoboek gemaakt door Astrid, met entreekaartjes, suikerzakjes en dat soort zaken. We moeten Lynn en Charles gauw mailen dat we gaan trouwen. Straks, thuis, zal ik dat het eerste doen.'
In het kort vertelt hij van het stamboomonderzoek en van hun Amerikaanse reis.
'Nu eerst maar eten.' Bert bidt hardop, de gewoonte van jaren.
Bert belt de kinderen op om hen in te lichten over de trouwdatum. Mandy reageert: 'Ik dacht het wel, jullie houden dit echt geen halfjaar vol, zoals jullie van plan waren. Heb je soms alles al geregeld ook?'
'Ja,' bekent Bert. 'Burgerlijke stand, kerkelijk huwelijk. Dat laatste gebeurt in de gewone morgendienst, 8 juli. Dan is dominee Harm de Lange bij ons. We moeten morgenmiddag om twee uur voor een gesprek naar hem toe. Straks ga ik het nieuws mailen naar Charles en Lynn, die zullen ook wel opkijken. Ik heb al wel gemaild dat ik Tineke ontmoet heb en dat we in de toekomst trouwplannen hebben.'
Hij belt en praat even met Iemke. Katja is niet thuis, maar Sifra belooft dat ze haar moeder zal vragen terug te bellen zodra ze thuis is, want om dat bericht in een voicemail te horen is niet leuk. Anneke moet het ook zo gauw mogelijk weten. Hij rijdt straks wel even naar haar toe, maar nu eerst de mail naar

Amerika. Heel uitvoerig mailt hij alles, hij is meer close met Charles dan met zijn enig overgebleven broer.

'Dat was een verrassing voor me, Bert, zondag, toen jij me aan je nieuwe vrouw voorstelde. We hebben toen ook al even een fijn gesprek gehad. En nu willen jullie graag de trouwdienst bespreken?' vraagt Harm als ze de volgende dag bij hem zijn voor een gesprek.

'Dat kan ik me voorstellen, die verrassing bedoel ik, maar Tineke is mijn jeugdliefde, we ontmoetten elkaar opnieuw bij mevrouw De Wilde en kijk, nu gaan we trouwen.'

Harm de Lange schiet in de lach. 'Een verhaal in een notendop dus, maar vertel er eens wat meer van.'

Dat doet Bert, af en toe onderbroken door Tineke als hij iets vergeet, of iets verkeerd zegt.

'Dus nu willen jullie in de ochtenddienst van 8 juli jullie huwelijk in laten inzegenen? Op vrijdag 6 juli is de bevestiging van jullie burgerlijk huwelijk. Ik heb het één keer eerder gedaan in mijn vorige gemeente, op zondag een huwelijk inzegenen. Ik zal het graag doen.'

Harm en Bert hebben een nauwe band. De dominee heeft de ziekte van Astrid meegemaakt, heeft veel voor haar en voor het hele gezin betekend in die tijd. Hij heeft ook de begrafenisdienst geleid en kwam in de droeve dagen daarna vaak even bij Bert aan, soms maar vijf minuten, soms werd er bijna niet gesproken, andere keren hadden ze een lang gesprek. Hij heeft Bert enorm bemoedigd en getroost. Ook de kindertjes van Mandy en Rob zijn door hem gedoopt.

'Hebben jullie al een tekst in gedachten? Je begrijpt dat het toch anders is dan in een dienst waar het alleen om jullie gaat.'

'Juist daarom willen we graag te midden van de gemeente ons huwelijk laten inzegenen, en de tekst …,' hij kijkt naar Tineke, 'vertel maar, het is jouw idee.'

'Ik ben lang niet zo thuis in de Bijbel als Bert, maar … Nu las Bert laatst een psalm, die sprak me zo aan,' ze kijkt even naar Bert.

'Psalm 84,' vult hij aan.

'Over de Here die een zon en schild is, die genade en glorie geeft, de laatste regel is: Gelukkig de mens die op U vertrouwt. Dat zou ik graag willen, dat ik weet dat er een God is die werkelijk over ons waakt.'

'Dat is inderdaad een prachtige psalm en zeker ook voor de hele gemeente bestemd.'

'Ik wil heel graag dat er gezongen wordt uit de Evangelische liedbundel lied 357 de verzen 1 en 3: Vreugde, vreugde, louter vreugde, is bij U van eeuwigheid,' vult Bert aan.

Harm heeft ondertussen al aantekeningen gemaakt.

'Hier kan ik wat mee, kan ik veel mee,' zegt hij. Hij kijkt op zijn horloge. 'Sorry mensen, maar ik heb zo meteen weer een afspraak. Laten we eerst bidden en danken voor dit nieuwe geluk.'

Als ze even later weer buiten lopen, zegt Tineke: 'Ik vond dit een fijn gesprek, hij is een sympathieke man.'

Als Bert 's avonds zijn mailbox opent, ziet hij tot zijn verrassing dat er al antwoord is van Charles, en wát voor een.

Dear Tineke en Bert,

Wat geweldig voor jullie, hartelijk gefeliciteerd. Wij willen er erg graag bij zijn als jullie trouwen. We nemen dan een hotelletje, dat is minder druk voor jullie. Wij dachten er al langer over om Nederland eens goed te bekijken, onder andere plaatsen waar mijn voorouders gewoond hebben: Nootdorp, Stolwijk; en daarna Amsterdam, Middelburg en misschien gaan we daarna ook nog een paar dagen naar Parijs. Nu hebben we bedacht dat we na onze rondreis jullie ophalen. Jullie

logeren dan bij ons en we laten jullie van alles zien in de
States. Dat is ons huwelijkscadeau, maar als jullie dit geen
goed plan vinden, moeten jullie het eerlijk zeggen, mailen dus.
Jullie vinden het misschien ook leuk om ons iets van
Nederland te laten zien.
Lynn kan niet wachten om Tineke te ontmoeten, zegt ze. Horen
we gauw wat van jullie? Tot ziens op het feest.
We hebben begrepen dat jullie op vrijdag voor de wet trouwen,
en de zondag daarop in de kerkdienst, klopt dat?
Veel liefs vanuit Grand Rapids,
Lynn en Charles.

Hoe laat is het? Kan hij Tineke nog bellen? Dat lukt nog wel,
hij kan niet wachten om haar de mail voor te lezen.
Ze reageert net zo verrast als hij: 'Wat een geweldig aanbod.
Ik ben daar nog nooit geweest en als ik dan jouw verhalen hoor
en dat prachtige album zie ...'
'Dus jij hoeft er niet lang over na te denken,' zegt Bert,
lachend.
'Het komt allemaal zo mooi uit, ik heb de flat per 1 augustus
opgezegd, kunnen we op ons gemak het huis verder leeg- en
schoonmaken. Het lijkt me heel leuk om hen te ontmoeten,
schrijf maar gauw terug dat we hun aanbod graag aannemen.
Ik ga er vast vannacht van dromen.'
'Ik ga meteen mailen, slaap lekker, *have nice dreams*. Ik hou
van je.'
'Ik van jou. Tot morgen en welterusten.'

Als Tineke in bed ligt, kan ze niet slapen, er gaat zoveel door
haar heen, zo'n rustig leven had ze, er waren dagen dat ze geen
mens sprak en nu ... Het is geen toeval dat ze Bert ontmoette, ooit heeft ze daar wel van gedroomd. Maar ze besefte
dat hij waarschijnlijk getrouwd zou zijn en een gezin zou heb-

ben. Ze is altijd van hem blijven houden.

Wat is ze gelukkig! Straks de bruiloft en morgen gaat ze met Katja naar de stad om een bruidsjapon te kopen. Zij is een echte vriendin geworden.

Wat zal ze kopen? Iets van grijs, of bruin, lang of kort? Maar liever nog koopt ze een mooi broekpak met een witte of room-kleurige zijden bloes erbij. Ze zal wel zien.

En nu die reis naar Amerika. Aan de ene kant ziet ze er wel een beetje tegenop, ze kent die mensen niet, aan de andere kant trekt het haar. Bert houdt veel van hen. Zal hij het niet erg vinden om eraan terug te denken dat hij met Astrid daar was?

De gedachten tollen door haar hoofd, ze bedenkt dat ze nodig naar mevrouw De Wilde, tante Gerrie, moeten om haar van alles te vertellen. Opeens denkt ze aan de hond; ze hebben er niet meer over gepraat, maar ze wil het heel graag, zo'n mooie Duitse herder, of een golden retriever. Ze kunnen er beter mee wachten tot ze terug zijn uit Amerika. Ze heeft altijd graag een hond willen hebben, maar haar ouders, en later ook haar man, hielden niet van honden. Hoewel, na veel zeuren bij haar vader had ze Quispel gekregen. En om nu op de flat zo'n grote hond te nemen, nee, zo'n beest had ruimte nodig, dus kwam het er weer niet van.

Als ze eindelijk bijna in slaap valt, zou ze wel willen bidden, maar ze weet niet goed hoe. Dus zegt ze alleen uit de grond van haar hart: 'Dank U wel, Vader, Heer God.'

In haar dromen gaat alles fout. Bert heeft nog wel gezegd: *have nice dreams*, maar telkens schrikt ze wakker van de ake-lige dingen die ze droomt: Ze loopt de kerk in, maar Bert is weg, hij komt niet meer terug. Klaarwakker is ze weer. Dan maar een beschuitje eten met een kopje thee erbij.

Als ze daarna weer in bed ligt, slaapt ze diep en droomloos.

Op 6 juli wordt het burgerlijk huwelijk voltrokken. Kinderen en kleinkinderen zijn erbij. Er wordt niet veel drukte van gemaakt. Als ze thuiskomen staat er een prachtig boeket op tafel. 'Feliciteren doen we pas zondag in de kerk,' zeggen ze allemaal.

Eindelijk breekt die grote dag aan. Ook Lynn en Charles zitten in de kerk.

De kerk is vol als Tineke en Bert achter de dominee en de ouderlingen binnenkomen. Tineke in een lichtbruin pakje met een prachtige, roomkleurige bloes. Ze heeft een mooie hoed op, bruin met een lint eromheen in de kleur van haar bloes.

Bert is ook in het bruin, net een tintje donkerder. Tineke heeft een bruidsboeket van roomkleurige rozen met bruine takken.

Tante Gerrie, in haar rolstoel, is ook aanwezig. Ze hebben haar gevraagd voor het diner, maar dat is te vermoeiend voor haar. Ze is al heel blij dat ze de inzegening bij kan wonen.

Het wordt een heel bijzondere en mooie dienst. Een ouderling deelt mee dat het huwelijk van Tineke en Bert tijdens deze dienst ingezegend zal worden, dat iedereen na de dienst hen kan feliciteren en dat er dan koffie is met iets lekkers. Daarna begint de dienst.

De tekst is uit psalm 84, zoals het bruidspaar gevraagd heeft: God de Heer, is een zon en schild. Genade en glorie schenkt de Heer, Zijn weldaden weigert Hij niet aan wie onbevangen op weg gaan.

Na de preek wordt het lied gezongen dat Bert gevraagd heeft: Vreugde, vreugde, louter vreugde is bij U van eeuwigheid.

Als ze later geknield liggen en de zegen ontvangen hebben, zingt de gemeente hen psalm 121:4 toe. 'De Heer zal u steeds gadeslaan, Hij maakt het kwade goed, Hij is het die u hoedt. Hij zal uw komen en uw gaan, wat u mag wedervaren in eeuwigheid bewaren.'

Na de dienst zingen Lobke, Mirthe en Sifra, begeleidt door Bas op de piano, een vers dat Lobke geschreven heeft. Tineke is er ontroerd van.

Het is ook verder een prachtige dag. Na de felicitaties gaan ze naar hun huis, waar ze een broodje eten.

Om vijf uur rijdt een Rolls Roys voor. Bert, die net voor het raam staat te kijken, zegt: 'Kijk nou eens wat een auto.'

'Stap maar in, verrassing,' zegt Lennard lachend. De auto is prachtig versierd met bloemen.

'Instappen, wij?' vraagt Tineke.

Het is inderdaad een complete verrassing voor het bruidspaar. 'We moesten toch een mooie trouwauto hebben, en vanmorgen naar de kerk zou dat teveel opzien gebaard hebben.'

De meiden gillen door elkaar: 'Toppy, gaaf zeg, vet.'

Tineke moet lachen om al die termen. Dan stappen ze in. Het is maar vijf minuten naar de kerk.

De kerk is een multifunctioneel gebouw, er is een keuken bij met alles erop en eraan, zodat er ook gegeten kan worden.

De chauffeur rijdt rustig de stad uit, hij lacht alleen maar als Bert vraagt waar hij heen gaat. Ze rijden een halfuurtje langs kleine weggetjes door de polder en gaan daarna weer naar de kerk. Daar wordt het bruidspaar opgewacht met versierde bogen die de kleinkinderen in elkaar geknutseld hebben.

Er is een koud buffet waar ze met z'n allen voor gezorgd hebben. Lia en een paar vriendinnen van Mandy zorgen voor alles. Het ziet er allemaal heel mooi uit: vis- en vleessalades, prachtig opgemaakt, en allerlei heerlijke hapjes.

Lennard houdt een toespraak, Mandy draagt een gedicht voor. De drie meisjes zingen weer, begeleidt door Bas.

De kleintjes, Anne en Prisca, mogen samen ook een liedje zingen. Daar wordt enthousiast voor geklapt en Prisca barst van schrik in tranen uit. Maar met een snoepje is het gauw over. Moeder Mandy trekt haar op schoot.

'Wat een familie heb ik nu,' zucht Tineke. 'Wat heerlijk.'
'En ik heb een fijne vriendin,' zegt Katja.
Lynn en Charles lachen zo'n beetje mee, maar ze begrijpen niet de helft van wat er gezegd wordt. Er is niet veel gelegenheid om uitleg te geven, maar ze genieten zo ook wel.
Het is een feestelijke maaltijd, er wordt heerlijk gegeten en veel gelachen.
Ten slotte vraag Bert om stilte. Hij spreekt een dankgebed uit en bedankt hen allemaal. Ze hebben het een geweldige dag gevonden.
Om negen uur is het afgelopen, anders wordt het voor de kleintjes te laat. Ze hebben allemaal genoten, het bruidspaar nog het meest.

In de dagen die volgen, gaan Tineke en Bert met Lynn en Charles op stap. Het gaat echt Amerikaans: in een dag doen ze Den Haag, van Madurodam tot het Mauritshuis, de gevangenpoort, Binnen- en Buitenhof, en gaan ze ook nog even naar Scheveningen om de zee te zien. Tineke zou alleen al een hele dag schilderijen willen kijken in het Mauritshuis. Daarna naar Delft en het Westland. Ze vinden het allemaal klein, popperig en druk, maar wel erg mooi. De derde dag gaan ze naar Friesland en Groningen en dan hebben ze Nederland gezien.
Daarna willen ze naar Parijs, en naar Marseille en Monaco.
'Moeten wij in Amerika ook alles in vogelvlucht bekijken?' vraagt Tineke benauwd. Bert schiet in de lach. 'Vorige keer sleepten ze ons ook overal mee naar toe. Ach, we zien wel.'

Tinekes flat moet nog leeg en schoon. Katja en Iemke doen het meeste, terwijl Jan Willem en Rob de zware dingen versjouwen en een hele vracht naar de stort brengen.
Aan het eind van die week zijn de Amerikanen terug, nog één

zondag en dan begint de verlate huwelijksreis van Tineke en Bert.

Op die laatste avond, als Tineke en Bert al op hun slaapkamer zijn, zegt Tineke: 'Ik heb nog een verrassing voor je.' Ze geeft Bert een plat pakje.

Als hij het uitgepakt heeft blijkt het een fotolijstje te zijn. Hij kijkt in de trouwste, mooiste hondenogen van een Duitse herder. Hij is er even stil van, dan zegt hij: 'Geweldig, hoe heb je dat zo stiekem voor elkaar gekregen?'

'Het is mijn huwelijkscadeau voor jou,' straalt ze. 'Naar je zin? Draai eens om.' Daar staat: 'Ik ben Famke. Wil je over drie weken mijn baasje zijn?'

Hij neemt Tineke in zijn armen. 'Schat, wat ben ik hier blij mee, hoe kom je aan haar? Famke is toch Fries voor meisje.'

'Het is inderdaad een teefje, en ik heb haar via internet opgezocht, ben wezen kijken. Jan Willem, die verstand heeft van honden, is mee geweest. Als we weer thuis zijn, kunnen we haar ophalen. Ze komt uit Friesland, daarom heb ik haar Famke genoemd. Ze lijkt op Bob, vind je niet?'

Hij houdt haar zo stevig tegen zich aan dat ze zegt: 'Je drukt me plat, ik kan geen adem meer halen. Maar laten we nu gaan slapen, het wordt morgen een lange dag.'

Hij neemt haar opnieuw in zijn armen, ze vallen op het bed neer, maar van slapen komt voorlopig niets …

Tot hun verrassing zijn opeens alle kinderen en kleinkinderen op Schiphol aanwezig, om hen uit te zwaaien.

Ze nemen afscheid van allemaal, Charles en Lynn kijken lachend toe. 'Het lijkt wel of jullie gaan emigreren,' zeggen ze.

Anne gilt: 'Dag opa, dag tante Tineke.'

En eindelijk is het moment daar, ze stappen in, zwaaien en zwaaien tot ze niets meer kunnen zien.

Hun huwelijksreis is begonnen.